140 casos ganados
Por falta de legitimación activa

Miguel Guerra Pérez
Director de sepín Proceso Civil. Abogado

Kristina Nikolaeva Georgieva
Redactora Jurídica

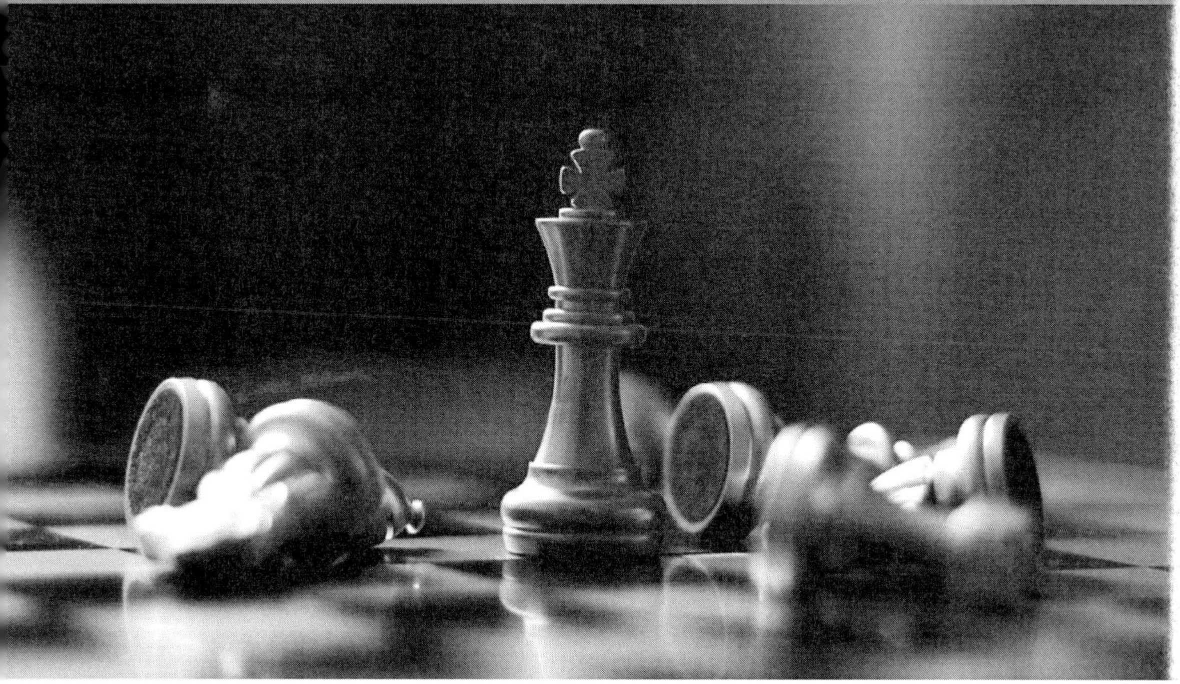

Colección
casos ganados

C/ Mahón, 8
28290 Las Rozas (Madrid)
Tel.: 91 352 75 51
www.sepin.es
sac@sepin.es

Precio: 34,90 euros (4 % IVA no incluido)

ISBN: 978-84-1165-020-5
Depósito legal: M-19543-2023

Producción gráfica: **sepín**, S. L.

Impresión: Service Point, S. A.

Presentación

La legitimación es, sin duda, uno de los temas más importante tanto desde el punto de vista sustantivo como procesal.

El art. 10 de la Ley 1/2000, de 7 de enero, de Enjuiciamiento Civil, determina: "*Serán considerados partes legítimas quienes comparezcan y actúen en juicio como titulares de la relación jurídica u objeto litigioso. Se exceptúan los casos en que por ley se atribuya legitimación a persona distinta del titular*".

Tradicionalmente, tanto la doctrina como la jurisprudencia de la Sala Primera han establecido la diferenciación existente entre la *legitimación ad processum* [para el proceso] y la *legitimación ad causam* [para el pleito]. La legitimación *ad processum* se suele hacer coincidir con el concepto de capacidad procesal. La *ad causam* —llamada por otros como verdadera legitimación— consiste en la adecuación normativa entre la posición jurídica que se atribuye el sujeto y el objeto que demanda, en términos que, al menos en abstracto, justifican preliminarmente el conocimiento de la petición de fondo que se formula, no porque ello conlleve que se le va a otorgar lo pedido, sino simplemente, porque el juez competente, cumplidos los requisitos procesales está obligado a examinar dicho fondo y resolver sobre el mismo por imperativo del ordenamiento jurídico.

Lo cierto es que dicha dualidad del concepto de legitimación ha desaparecido en la actualidad tras la entrada en vigor de la LEC, pues la misma distingue entre capacidad procesal y legitimación, refiriendo esta última solo a la tradicionalmente denominada legitimación *ad causam*.

Es claro, pues, que *la legitimación ad causam* pertenece el fondo del asunto. Y es que el examen de cualquier pretensión pasa, necesariamente, por comprobar si existe o no la relación entre sujeto y objeto que pueda permitir la estimación de aquella más lo cierto es que, igualmente constituye un presupuesto procesal susceptible de examen previo al resto del fondo del asunto, de modo que la pretensión es inviable cuando quien la formula no pueda ser considerado "parte legítima".

Si la misma presenta dos vertientes, la activa y la pasiva, **en la presente selección nos hemos centrado solamente en la primera, la legitimación activa**, incorporando 140 resoluciones en las cuales, después de una exposición somera sobre el concepto de legitimación, nos hemos centrado en casos ganados o perdidos en función de la perspectiva desde la que se contemple, ya sea como actora, ya como demandada, **por falta de legitimación activa**.

Sí parece claro que el demandado debería alegar tanto la falta de legitimación activa en su contestación, pero imaginemos que se le ha olvidado, ¿puede el juzgador apreciarla de oficio? ¿Puede apreciarse en las sucesivas instancias? La jurisprudencia señala que se puede apreciar de oficio, aunque no se haya planteado por las partes y lo indica en todas las instancias: en primera instancia, en apelación e, incluso, en casación.

Después de este planteamiento, a continuación, hemos procedido a una selección de sentencias en las que se ha apreciado la falta de legitimación activa, resultando la pretensión inviable al plantearse por quien finalmente no es considerado parte legítima.

Hemos intentado abarcar un gran número de relaciones jurídicas (compraventa, comunidad de bienes, donaciones...) y de procesos (arrendaticios, de propiedad horizontal o de familia, entre otros), aunque no debe perderse de vista que el número de supuestos podría extenderse hasta el infinito, pues, como las estrellas, las relaciones jurídico-sustantivas son casi inabarcables.

Miguel Guerra Pérez
Director de **sepín** Proceso Civil. Abogado

Kristina Nikolaeva Georgieva
Redactora Jurídica

Sumario

Conceptos previos: legitimación *ad processum* y *ad causam*

Caso 1

Resumen: La legitimación tiene una dimensión procesal, que tiene que ver con la afirmación de la titularidad del derecho y correspondencia entre la titularidad afirmada y las consecuencias jurídicas pretendidas.

Auto: TS, Sala Primera, de lo Civil, 9-7-2013 (SP/AUTRJ/978664).

Argumentación jurídica: La legitimación tiene así una dimensión procesal, que tiene que ver con la afirmación de la titularidad del derecho y correspondencia entre la titularidad afirmada y las consecuencias jurídicas pretendidas, esto es, en síntesis, la coherencia de la posición subjetiva que se invoca con las peticiones que se deducen, (SS 31 de marzo de 1997; 11 de mayo de 2000; 12 de mayo y 28 de diciembre de 2001; 11 de marzo de 2002; 19 de abril de 2003; 13 de febrero y 21 de abril de 2004; 20 de febrero, 30 de marzo, 25 de abril y 24 de noviembre de 2006, entre otras), y otra material, ligada al fondo, vinculada con normas de derecho material o sustantivo, examinables en casación, que tiene que ver con la existencia de la titularidad del derecho a la luz de esta normativa (SSTS de 2 de julio de 2008, RC n.º 1354/2002; 9 de diciembre de 2012, RCIP n.º 604/2010). En este caso, lo que se cuestiona es verdaderamente la existencia misma del derecho a reclamar por parte de Mapfre, sobre la base de no haberse acreditado el perjuicio que deriva de haber asumido a cargo de su patrimonio la indemnización de su asegurada. Pero estas afirmaciones ya se ha visto que no se sostienen a partir de los hechos probados, excediendo del recurso extraordinario por infracción procesal el examen de aspectos de fondo directamente relacionados la debida o indebida aplicación del art. 43 LCS a la situación fáctica que se ha declarado probada.

Caso 2

Resumen: La legitimación pasiva *ad causam* consiste en una posición o condición objetiva en conexión con la relación material objeto del pleito que determina una aptitud o idoneidad para ser parte procesal pasiva.

Sentencia: TS, Sala Primera, de lo Civil, 27-6-2011 (SP/SENT/639173).

Argumentación jurídica: La legitimación pasiva *ad causam* [para el pleito] consiste en una posición o condición objetiva en conexión con la relación material objeto del pleito que determina una aptitud o idoneidad para ser parte procesal pasiva, en cuanto supone una coherencia o armonía entre la cualidad atribuida –titularidad jurídica afirmada– y las consecuencias jurídicas pretendidas (SSTS 28 de febrero de 2002, RC n.º 3109/1996, 20 de febrero de 2006, RC. n.º 2348/1999 y 21 de octubre de 2009). En consecuencia, su determinación obliga a establecer si, efectivamente, guarda coherencia jurídica la posición subjetiva que se invoca en relación con las peticiones que se deducen (STS 7 de noviembre de 2005, RC n.º 1439/1999), lo que exige atender al contenido de la relación jurídica concreta, pues será esta, sobre la que la parte demandante plantea el proceso, con independencia de su resultado, la que determine quiénes son las partes legitimadas, activa y pasivamente.

Caso 3

Resumen: La legitimación *ad processum* se suele hacer coincidir con los conceptos de capacidad procesal, mientras que la *ad causam* consiste en la adecuación normativa entre la posición jurídica que se atribuye el sujeto y el objeto que demanda.

Sentencia: TS, Sala Primera, de lo Civil, 11-11-2011 (SP/SENT/660712).

Argumentación jurídica: Tanto la doctrina como la jurisprudencia de esta Sala han establecido la diferenciación existente entre la legitimación *ad processum* [para el proceso] y la legitimación *ad causam* [para el pleito]. La legitimación *ad processum* [para el proceso] se suele hacer coincidir con los conceptos de capacidad procesal, mientras que la segunda consiste en la adecuación normativa entre la posición jurídica que se atribuye el sujeto y el objeto que demanda, en términos que, al menos en abstracto, justifican preliminarmente el conocimiento de la petición de fondo que se formula, no porque ello conlleve que se le va a otorgar lo pedido, sino simplemente, porque el juez competente, cumplidos los requisitos procesales está obligado a examinar dicho fondo y resolver sobre el mismo por imperativo del ordenamiento jurídico.

Caso 4

Resumen: La dualidad del concepto de legitimación ha desaparecido en la actualidad tras la entrada en vigor de la Ley de Enjuiciamiento Civil de 7 de enero de 2000, pues la misma distingue entre capacidad procesal y legitimación, refiriendo esta última solo a la tradicionalmente denominada legitimación *ad causam*.

Sentencia: TS, Sala Primera, de lo Civil, 27-6-2011 (SP/SENT/639173).

Argumentación jurídica: Tanto la doctrina como la jurisprudencia de esta Sala han establecido la diferenciación existente entre la legitimación *ad processum* [para el proceso] y la legitimación *ad causam* [para el pleito]. La legitimación *ad processum* [para el proceso] se suele hacer coincidir con los conceptos de capacidad procesal, mientras que la segunda consiste en la adecuación normativa entre la posición jurídica que se atribuye el sujeto y el objeto que demanda, en términos que, al menos en abstracto, justifican preliminarmente el conocimiento de la petición de fondo que se formula, no porque ello conlleve que se le va a otorgar lo pedido, sino simplemente, porque el juez competente, cumplidos los requisitos procesales está obligado a examinar dicho fondo y resolver sobre el mismo por imperativo del ordenamiento jurídico material.

Según la STS de 15 de octubre de 2002 una extensa relación de resoluciones de esta Sala (de 30 de julio de 1999, 24 de enero de 1998 y 6 de mayo de 1997) establecen la diferencia entre la legitimación *ad processum* [para el proceso] y la legitimación *ad causam* [para el pleito] y la falta de esta última para promover un proceso, en cuanto afecta al orden público procesal, debe ser examinada de oficio, aun cuando no haya sido planteada en el período expositivo, ya que los efectos de las normas jurídicas no pueden quedar a voluntad de los particulares de modo que llegarán a ser aplicadas no dándose los supuestos queridos y previstos por el legislador para ello (SSTS 12 de diciembre de 2006, RC n.º 415/2000 y 13 de diciembre de 2006, RC n.º 257/2000).

B) Dicha dualidad del concepto de legitimación ha desaparecido en la actualidad tras la entrada en vigor de la Ley de Enjuiciamiento Civil de 7 de enero de 2000, pues la misma distingue entre capacidad procesal y legitimación, refiriendo esta última solo a la tradicionalmente denominada legitimación *ad causam* (artículo 10 LEC) (STS de 20 de febrero de 2006, RC n.º 2348/1999).

Caso 5

Resumen: Mientras que la legitimación «ad processum» hace referencia a la capacidad procesal coincidente con la capacidad de obrar en general, la legitimación «ad causam» obliga a establecer si, efectivamente, guarda coherencia jurídica la posición subjetiva que se invoca en relación con las peticiones que se deducen.

Sentencia: TS, Sala Primera, de lo Civil, 20-2-2006 (SP/SENT/362763).

Argumentación jurídica: La formulación del motivo, indebidamente residenciado en el ordinal 4.º del artículo 1.692 de la Ley de Enjuiciamiento Civil por señalar como infringidas normas de carácter procesal, si bien puestas en relación con otra de carácter sustantivo, induce a confusión y adolece de la falta de claridad exigible en buena técnica casacional, como requisito derivado de lo dispuesto en el artículo 1.707 de la Ley de Enjuiciamiento Civil (por todas, la reciente sentencia de esta Sala de 11 de marzo de 2005, así como el auto de 21 de junio de 2005), ya que hace referencia indistintamente a la inexistencia de legitimación «ad processum» y «ad causam» denunciando la falta de esta última en la parte actora al enunciar el motivo y en la conclusión del mismo, cuando la argumentación de que se vale únicamente se refiere a la primera y no a la segunda. Dicha dualidad del concepto de legitimación ha desaparecido en la actualidad tras la entrada en vigor de la Ley de Enjuiciamiento Civil de 7 de enero de 2000, pues la misma distingue entre capacidad procesal y legitimación, refiriendo esta última solo a la tradicionalmente denominada legitimación «ad causam» (artículo 10).

En referencia a la situación anterior a la entrada en vigor de la nueva Ley, como señala, entre otras, la sentencia de esta Sala de 16 de mayo de 2000, no cabe confundir ambas formas de legitimación, pues mientras la legitimación «ad processum» hace referencia a la capacidad procesal coincidente con la capacidad de obrar en general, la legitimación «ad causam» obliga a establecer si, efectivamente, guarda coherencia jurídica la posición subjetiva que se invoca en relación con las peticiones que se deducen, por lo que puede determinarse con carácter previo a la resolución del fondo del asunto; de modo que resulta posible por ello estar legitimado y carecer del derecho que se discute. En este sentido la legitimación «ad causam» habría que referirla en el presente caso únicamente al actor don Jose Pedro y no a quien inicialmente manifestó actuar en representación del mismo para el seguimiento del presente proceso, que es a quien en realidad se refiere el motivo.

Apreciación de oficio y momento de planteamiento

I. Puede resolverse de oficio y alegarse en cualquier momento del proceso

Caso 6

Resumen: En la contestación a la demanda de ordinario consecuencia de monitorio puede alegarse la falta de legitimación aunque no se alegara en la oposición ya que puede apreciarse de oficio aunque no se ha haya planteado en cualquiera de las instancias e incluso en casación.

Auto: TS, Sala Primera, de lo Civil, de 2 de noviembre de 2022. Recurso: 4382/2020 (SP/AUTRJ/1182935).

Argumentación jurídica: El recurso de casación se interpone al amparo del art. 477.2.3.º LEC y se compone de dos motivos. En el motivo primero se alega la infracción de los arts. 815 y 818.2 LEC en cuanto a la vinculación de las causas alegadas en la contestación a la reclamación de juicio monitorio con las planteadas en la contestación a la demanda del ordinario. En el desarrollo del motivo insiste en que la sentencia recurrida da a entender que el demandado en juicio monitorio está obligado a defenderse únicamente con las causas que alegó para oponerse ante la reclamación monitoria, sin poder alegar otras nuevas en fase de contestación a la demanda de juicio ordinario aunque puedan ser apreciadas de oficio en cualquier momento, como es la falta de legitimación activa, pese a que del tenor de los artículos citados no se desprende dicha limitación. Refiere la existencia de jurisprudencia contradictoria entre Audiencias Provinciales, citando por un lado aquellas Audiencias que siguen una postura estricta, según la cual no cabe ampliar en el juicio declarativo posterior los motivos de oposición ya indicados en el monitorio y las que siguen una postura amplia que permite ampliar y alegar motivos de oposición nuevos.

En el motivo segundo se alega la vulneración del art. 10 LEC junto con los arts. 265 y 217 LEC en tanto en cuanto la sentencia recurrida establece que no es necesario acreditar la legitimación activa *ad causam* por parte del actor cuando la misma no ha sido discutida al inicio del procedimiento como si existiera un momento de alegación concreto o no pudiera apreciarse de oficio por el Juzgado o Tribunal. Lo anterior contraria la doctrina de la Sala que permite apreciarla de oficio, aunque no se haya planteado por las partes en cualquiera de las instancias e incluso en casación, siendo exponentes de ello las SSTS 2 de abril de 2014 y 15 de noviembre de 2011.

Caso 7

Resumen: La falta de legitimación activa, aunque no fue alegada por la parte demandada al oponerse al juicio monitorio, no impide que se pueda apreciar de oficio por el tribunal y, por tanto, alegarse en cualquier momento del proceso por la demandada.

Sentencia: AP Castellón, Sec. 3.ª, 259/2014, de 24 de julio. Recurso 179/2014 (SP/SENT/787133).

Argumentación jurídica: La ausencia de la grabación del juicio impide que pueda resolverse el recurso de apelación al ignorarse el contenido del acto de la vista, tanto las alegaciones de las partes como la prueba practicada, atendido que se trata de un juicio verbal y que la demanda y contestación no se formulan por escrito sino de forma oral en el acto de la vista.

La sentencia de primera instancia apreció la excepción de falta de legitimación activa, excepción que no fue alegada por la parte demandada al oponerse al juicio monitorio, lo que no obsta a que se pueda apreciar por el juzgado en sentencia, al tratarse de una excepción que pueda apreciarse de oficio por el tribunal y, por tanto, alegarse en cualquier momento del proceso por la parte demandada. Sin embargo, al desconocerse los alegatos de la parte demandada en que se fundamentó dicha excepción, al no haberse grabado el acto de la vista, no puede resolverse sobre el único motivo del recurso. Pero es que, aun cuando se pudiera resolver sobre dicha excepción, la consecuencia no sería la indicada en el recurso, es decir, que se devolvieran los autos al juzgado al objeto de dictar una sentencia sobre el fondo, al tratarse dicha excepción de falta de legitimación activa de una excepción perentoria y no dilatoria, lo que obligaría a este tribunal de apelación a resolver sobre el fondo del litigio, cuando desconoce las alegaciones y prueba practicada por el motivo antes expuesto.

Debe indicarse, además, que según se indica en la sentencia y en el escrito de oposición al recurso de apelación, la parte actora amplió su demanda en el acto del juicio, solicitando se condenara al demandado a pagar la suma de 9.152,37 euros. En este caso, si así fuera, el proceso debería seguirse por los trámites del juicio ordinario.

En consecuencia, no pudiéndose resolver el recurso al no haberse grabado el acto de la vista procede acordar la nulidad de la sentencia, así como del juicio celebrado, debiendo el juzgado proceder a convocar nuevamente a las partes para la celebración de la vista.

II. Aunque puede apreciarse de oficio, pero no se puede resolver en cualquier momento del proceso

Caso 8

Resumen: La falta de legitimación activa es un presupuesto que se puede apreciar de oficio, pero no se puede resolver sobre ella en cualquier momento del proceso tras la celebración de la audiencia previa.

Auto: AP León, Sec. 1.ª, 8/2021, de 3 de febrero. Recurso 892/2020 (SP/AUTRJ/1089730).

Argumentación jurídica: En el auto recurrido se dice que la falta de legitimación activa es un presupuesto que se puede apreciar de oficio, y este tribunal comparte tal apreciación, pero lo que no comparte es que se pueda resolver sobre ella en cualquier momento del proceso.

La posibilidad de apreciar la falta de legitimación de las partes tras la celebración de la audiencia previa es más que discutible. Tal excepción no aparece contemplada entre las previstas en el artículo 416 de la LEC, y su equiparación a alguna de ellas por la vía del artículo 425 requiere de analogía.

III. Puede examinarse de oficio y debe resolverse antes de entrar en el fondo del asunto

Caso 9

Resumen: La falta de legitimación activa puede examinarse de oficio y antes de entrar en el fondo del asunto al afectar al orden público procesal como precisa la Sala Primera

Sentencia: AP Las Palmas, Sec. 4.ª, 420/2014, de 3 de septiembre. Recurso 1026/2012 (SP/SENT/787659).

Argumentación jurídica: Procede comenzar la resolución del recurso recordando que la falta de legitimación activa "constituye una cuestión que afecta a la esencia del propio procedimiento y lo vicia en origen, con independencia de que esta excepción haya sido alegada o no por los codemandados" por lo que "podrá ser apreciada de oficio por el Tribunal en cualquier momento del proceso, lo que supone que debe efectuarse esta apreciación de oficio acerca de la concurrencia o falta de la mencionada excepción con la consiguiente estimación de esta forma, si se concreta su ausencia, previamente al conocimiento del fondo litigioso, por afectar al orden público procesal (STS 10 de febrero de 2010 que cita la de fecha 22 de febrero de 1996) puesto que como precisa la STS de fecha 30 de mayo de 2002 "la legitimación activa o pasiva de las partes, como cuestión ligada indisolublemente al interés legítimo que hay que poseer para accionar y ejercitar el derecho a la tutela efectiva de tales intereses (art. 24.1 de la CE) puede ser examinada de oficio por el órgano jurisdiccional".

IV. Puede ser apreciada en cualquier instancia e incluso aunque el demandado esté en rebeldía

Caso 10

Resumen: Como la falta de legitimación puede ser apreciada de oficio por lo que cabe apreciarla en cualquier instancia, incluso se puede apreciar de un demandado que se hubiera mantenido en rebeldía en la instancia.

Sentencia: AP Barcelona, Sec. 4.ª, 111/2018, de 20 de febrero. Recurso 334/2016 (SP/SENT/947012).

Argumentación jurídica: El apelante parte en su recurso de que, cuando el demandado se opuso a la petición inicial de procedimiento monitorio presentada por el actor, no alegó la falta de legitimación activa, siendo este una argumento sobrevenido que no puede alegar en el proceso declarativo posterior.

En el acto de la vista de juicio verbal, el actor reiteró que el demandado inició un tratamiento privado en enero de 2014 con una serie de visitas, que abonó la visita mediante tarjeta de crédito (29/01/2014 primer pago) y que, posteriormente, cuando se iba a producir la intervención, se comprometió a abonarlos, en presencia de testigos, que dijo iba a proponer como prueba. Dijo que no le constaba el contenido de la cobertura con su Mutua, pero que no afectaba dicha relación al actor, acreedor de los honorarios médicos reclamados. Pero nada alegó entonces acerca no fuera procedente formular la falta de legitimación activa en ese acto, e hizo manifestaciones al respecto, en trámite de conclusiones concedido a tal efecto.

En cualquier caso, la falta de legitimación activa es apreciable de oficio, tal y como señala la STS, Sala 1.ª, de 21 de febrero de 2000:

"En su confuso alegato, en el que mezcla cuestiones de muy heterogénea naturaleza, la recurrente viene a sostener, en esencia, que habiéndose hallado el codemandado D. Laureano en rebeldía durante la tramitación del proceso en primera instancia, no adujo la excepción de su falta de legitimación pasiva "ad causam", por lo que no puede aducirla (parece querer decir) en el recurso de apelación (...).

El expresado motivo ha de ser desestimado por las siguientes razones: 1.ª La falta de legitimación "ad causam" (tanto la activa, como la pasiva) puede ser apreciada de oficio (Sentencias de esta Sala de 30 de Junio y 30 de Octubre de 1999, por citar algunas de las más recientes), por lo que el órgano jurisdiccional puede hacerlo en cualquier instancia del proceso e incluso la falta de legitimación pasiva "ad causam" puede ser apreciada de oficio respecto de un demandado que se hubiera mantenido permanentemente en rebeldía en el proceso (aunque este no es el caso que nos ocupa)

Caso 11

Resumen: La falta de legitimación "ad causam" puede ser apreciada de oficio en cualquier instancia del proceso e incluso la pasiva "ad causam" puede ser apreciada de un demandado que en rebeldía.

Sentencia: AP Madrid, Sec. 14.ª, 391/2012, de 18 de julio. Recurso 285/2012 (SP/SENT/691111).

Argumentación jurídica: La sentencia de 21 febrero 2000: "La falta de legitimación "ad causam" (tanto la activa, como la pasiva) puede ser apreciada de oficio (sentencias de esta Sala de 30 de junio y 30 de octubre de 1999, por citar algunas de las más recientes), por lo que el órgano jurisdiccional puede hacerlo en cualquier instancia del proceso e incluso la falta de legitimación pasiva "ad causam" puede ser apreciada de oficio respecto de un demandado que se hubiera mantenido permanentemente en rebeldía".

La sentencia de 30 de octubre de 1999: "La sentencia aquí recurrida, al desestimar totalmente la demanda, no hace alteración alguna de la "causa petendi", sino que basa su referido pronunciamiento desestimatorio en el acogimiento que hace de la excepción de falta de legitimación pasiva ("legitimatio ad causam") en la entidad demandada cuya excepción, además de ser apreciable de oficio (...)".

Y la sentencia de 27 de junio de 2011: "Según la STS de 15 de octubre de 2002 una extensa relación de resoluciones de esta Sala (de 30 de julio de 1999, 24 de enero de 1998 y 6 de mayo de 1997) establecen la diferencia entre la legitimación *ad processum* [para el proceso] y la legitimación *ad causam* [para el pleito] y la falta de esta última para promover un proceso, en cuanto afecta al orden público procesal, debe ser examinada de oficio, aun cuando no haya sido planteada en el período expositivo, ya que los efectos de las normas jurídicas no pueden quedar a voluntad de los particulares de modo que llegaran a ser aplicadas no dándose los supuestos queridos y previstos por el legislador para ello (SSTS 12 de diciembre de 2006, RC n.º 415/2000 y 13 de diciembre de 2006, RC n.º 257/2000). B) Dicha dualidad del concepto de legitimación ha desaparecido en la actualidad tras la entrada en vigor de la Ley de Enjuiciamiento Civil de 7 de enero de 2000, pues la misma distingue entre capacidad procesal y legitimación, refiriendo esta última solo a la tradicionalmente denominada legitimación *ad causam* (artículo 10 LEC) (STS de 20 de febrero de 2006, RC n.º 2348/1999). C) La legitimación pasiva *ad causam* [para el pleito] consiste en una posición o condición objetiva en conexión con la relación material objeto del pleito que determina una aptitud o idoneidad para ser parte procesal pasiva, en cuanto supone una coherencia o armonía entre la cualidad atribuida –titularidad jurídica afirmada– y las consecuencias jurídicas pretendidas (SSTS 28 de febrero de 2002, RC n.º 3109/1996, 20 de febrero de 2006, RC n.º 2348/1999 y 21 de octubre de 2009). En consecuencia, su determinación obliga a establecer si, efectivamente, guarda coherencia jurídica la posición subjetiva que se invoca en relación con las peticiones que se deducen (STS 7 de noviembre de 2005, RC n.º 1439/1999), lo que exige atender al contenido de la relación jurídica concreta, pues será esta, sobre la que la parte demandante plantea el proceso, con independencia de su resultado, la que determine quiénes son las partes legitimadas, activa y pasivamente. D) ... De lo expuesto, resulta que la apreciación de la sentencia recurrida de la falta de legitimación pasiva de (...), es ajustada a Derecho, pues incluso en el supuesto de que no hubiera sido planteada en la audiencia previa era apreciable de oficio al ser cuestión de orden público".

V. En la contestación a la demanda sin que quepa *ex novo* en apelación

Caso 12

Resumen: La parte demandada tenía que haber alegado la falta de legitimación activa en la contestación de la demanda, sin que pueda alegarse en el recurso de apelación, al ser extemporánea

Sentencia: AP Cantabria, Sec. 4.ª, 700/2019, de 24 de octubre. Recurso 220/2019 (SP/SENT/1031595).

Argumentación jurídica: La demandada al contestar a la demanda alego la falta de legitimación activa al entender que la actora no acreditaba la propiedad del inmueble; falta de legitimación pasiva del demandado dado que el demandado posee la demanda a título oneroso. Alego que celebro contrato verbal con un tercero, paga renta y celebro contrato de electricidad a su nombre pagando el recibo.

La sentencia de instancia estima las pretensiones de la demanda dando por probado, en base a la prueba documental aportada con la demanda, que la actora es propietaria del inmueble y que la demandada no ha probado el pago de renta o merced.

SEGUNDO. En el único motivo del recurso se alega vulneración del principio procesal de justicia rogada, vulneración artículo 24 de la Constitución, sobre la base de que existe una falta de legitimación activa dado que en el suplico de la demanda se dice que se ostenta la representación de Buildingcenter S.A.U. cuando la demanda se presenta por la Sociedad de Gestión de Activos procedentes de la Reestructuración Bancaria S.A. (SAREB).

Nos encontramos ante una cuestión nueva no planteada en el momento procesal oportuno.

La parte demandada debió alegar la excepción de falta de legitimación activa en la contestación a la demanda. Su alegación extemporánea causa indefensión a la parte contraria que se ve privada de la posibilidad de aportar prueba en acreditación de su legitimación.

A ello debemos añadir que la demanda se presenta por la Sociedad de Gestión de activos procedentes de la Reestructuración Bancaria S.A.; el poder de representación lo da dicha sociedad y la sentencia estima la demanda interpuesta por el SAREB y condena a poner la vivienda a disposición de dicha Sociedad.

VI. En ordinario derivado de monitorio

Caso 13

Resumen: La falta de legitimación activa en procedimiento ordinario derivado de proceso monitorio anterior debe alegarse en la contestación a la demanda.

Sentencia: AP Barcelona, Sec. 12.ª, 630/2006, de 10 de noviembre. Recurso 349/2006 (SP/SENT/107995).

Argumentación jurídica: Esgrime como primer motivo del recurso la Comunidad de Vecinos, tal como hizo al contestar a la demanda y repitió en la Audiencia previa del procedimiento ordinario, la falta de legitimación activa de la parte actora, excepción que esta Sala considera que debe estimarse.

Opone la actora a este argumento, que es recogido en la sentencia recurrida, que es en el momento de la oposición al previo juicio monitorio, cuando debe aducirse la excepción de falta de legitimación activa, argumento que no comparte esta Sala.

El art. 405,3 de la Ley de Enjuiciamiento Civil establece que será en el momento de la contestación a la demanda cuando el demandado debe alegar las excepciones material que tenga por conveniente. Siendo esta una excepción de falta de legitimación *ad causam*, por tanto excepción de carácter material, la contestación a la demanda del procedimiento declarativo es el momento adecuado para su formulación, no habiéndose previsto en el art. 818 LEC que al formular la oposición al juicio monitorio el eventual deudor deba oponer la referida excepción, aunque no se excluya tal posibilidad, por lo que al no existir motivo alguno para restringir al momento procesal de oposición al monitorio, la posibilidad de formular los motivos de oposición que el eventual deudor tenga por conveniente, no debemos ahora hacer tal restricción, por lo que debe ser desestimado este motivo alegado por la representación de la actora CUARTO. La parte actora carece de acción para entablar la acción que ha ejercitado. La legitimación "ad causam", según la doctrina y la jurisprudencia, implica la atribución subjetiva del derecho y la obligación deducidos en juicio, sin que se trate de una condición de admisibilidad del proceso, sino de la existencia misma de la acción. No es por tanto, la legitimación "ad causam" una cuestión de personalidad, sino que afecta al fondo de la cuestión por traducirse en la falta de acción o de poder de disposición sobre un derecho que es ajeno al recurrente, cual el derecho de pedir el cumplimiento de un contrato en el que no ha sido parte.

Ha quedado acreditado que fue con "Construccions i Habitatges Albert Contreras S.L.", con quien contrató la demandada las obras de restauración de la fachada, y a esta entidad remitió los ingresos bancarios de los pagos parciales que realizó; sin que la actora haya acreditado la sucesión de empresas o cesión del crédito objeto de este pleito. No puede ser determinante de la legitimación activa que pretende tener la actora, el hecho de haber emitido las dos facturas por trabajos extras que intenta cobrar en este pleito, pues nunca fueron aceptadas por la parte demandada, de manera que estuviera admitiendo la legitimación activa de la hoy actora, como esta alega en su oposición al recurso, pues ello no varía los elementos personales del contrato generante de obligaciones recíprocas entre las partes, sin perjuicio de las relaciones internas que puedan existir entre "Construccions i Habitatges Albert Contreras S.L." y "Pavimentaciones Solados y Acabados Vilanova SCP", por todo lo cual el recurso ha de ser estimado.

VII. Improcedencia en apelación cuando no se alegó en la instancia

Caso 14

Resumen: Dado que la falta de legitimación activa por tratarse el actor de copropietario no se planteó en primera instancia no puede ser formulada en vía de recurso.

Sentencia: AP Barcelona, Sec. 4.ª, 582/2017, de 20 de septiembre. Recurso 1284/2016 (SP/SENT/930471).

Argumentación jurídica: En segundo término, alegan los apelantes que D. Amadeo es presunto titular de la vivienda objeto del procedimiento, puesto que, erróneamente, se reconoció que era copropietario de la misma, cuando la escritura de compraventa aportada con la demanda no se corresponde con la vivienda reclamada, sita en Canet de Mar, calle DIRECCIÓN000, n.º NÚM000, NÚM001 y NÚM002, sino con la vivienda que aparece a nombre de los esposos sita en CALLE000, n.º NÚM003 de Canet de Mar (documento n.º 2 de la contestación del Sr. Sabino). Tras detallar el contenido de la escritura pública aportada con la demanda, los apelantes alegan que la parte actora debería haber acreditado la titularidad de la vivienda, aportando la escritura de propiedad correcta.

Sin embargo, lo cierto es que se trata de una alegación extemporánea, que no fue vertida por los demandados en su escritos de contestación, sin que tampoco fuese cuestionada la legitimación activa "ad causam" de D. Amadeo en cuanto copropietario de la vivienda objeto del procedimiento. Es más, los demandados reconocieron expresamente que sus padres son copropietarios de la vivienda e, incluso, uno de los argumentos esgrimidos por el Sr. Sabino en su defensa fue el de que, ello no obstante, había adquirido el dominio por usucapión, sin que sea de recibo ese cambio radical de discurso, máxime cuando se argumentó, asimismo, que se habían afrontado determinados gastos de la vivienda ocupada por los demandados, no de otra diferente.

Como recuerda el ATS, Sala 1.ª, de 2 de diciembre de 2014:

"la razón esencial de la sentencia recurrida para desestimar el recurso de apelación de la parte demandada, ahora recurrente, es que lo que plantea en dicha sede es que se valoren hechos distintos de los que fueron objeto de controversia en primera instancia, no pudiendo introducirse en el litigio cuestiones nuevas a las planteadas en primera instancia".

Por lo demás, no hay dato alguno que conduzca a plantearse en esta alzada dicha falta de legitimación activa.

Bancario

Caso 15

Resumen: Falta de legitimación activa de los accionistas para ejercitar las acciones de responsabilidad por la información contenida en el folleto y de nulidad del contrato de suscripción de las mismas.

Sentencia: AP Cantabria, Sec. 2.ª, 296/2022, de 6 de junio. Recurso 767/2020 (SP/SENT/1153567).

Argumentación jurídica: En definitiva, como se infiere de todo lo que ya se ha razonado, debe desestimarse el recurso presentado al no poderse acceder a estimar la acción de nulidad primeramente invocada ni la de resarcimiento del daño presentada de forma subsidiaria o eventual.

Como se expresa en la sentencia del TJUE de 5 de mayo de 2022, los accionistas que hayan adquirido acciones en el marco de una oferta pública de suscripción emitida por una entidad de crédito o una empresa de servicios de inversión, antes del inicio de tal procedimiento de resolución, carecen de legitimación activa sustancial para ejercitar las acciones de responsabilidad por la información contenida en el folleto y de nulidad del contrato de suscripción de acciones. Pero también, la entidad de crédito o la empresa de servicios de inversión sometida a un procedimiento de resolución mediante recapitalización interna o la entidad que las suceda carecen de legitimación pasiva sustancial para soportar las acciones de responsabilidad por la información contenida en el folleto y de nulidad del contrato de suscripción de acciones.

Todo ello, en fin, sin perjuicio de las acciones penales, civiles por responsabilidad de los administradores sociales o administrativas que resulten de aplicación.

Caso 16

Resumen: Falta de legitimación activa de la parte demandante para accionar frente al banco, lo que conduce a desestimar el recurso de apelación formulado.

Sentencia: AP Salamanca, Sec. 1.ª, 110/2023, de 6 de marzo. Recurso: 612/2022 (SP/SENT/1182936).

Argumentación jurídica: En su consecuencia, y en lo referente a las distintas acciones de nulidad y responsabilidad que se formulen, con la interpretación que efectúa el Tribunal de Justicia de la Directiva 2014/59 y en concreto con las menciones de sus apartados 32 y 33 ha de negarse legitimación a los accionistas para accionar frente a BANCO DE

SANTANDER S.A. Claramente señala el Tribunal que son los accionistas, seguidos por los acreedores, de una entidad de crédito o una empresa de servicios de inversión objeto del procedimiento de resolución quienes deben soportar prioritariamente las pérdidas sufridas como consecuencia de la aplicación del procedimiento de resolución (apartado 32) y que cuando una autoridad de resolución reduzca a cero el principal o el importe pendiente de un pasivo, cualesquiera obligaciones o reclamaciones derivadas del mismo que no hayan vencido en el momento de la resolución se considerarán liberadas a todos los efectos y no podrán oponerse a la entidad de crédito o a la empresa de servicios de inversión objeto de una medida de resolución o a otra sociedad que la suceda, en una eventual liquidación posterior (apartado 33).

Dicha interpretación es aplicable por tanto a los supuestos de adquisición de obligaciones subordinadas, conforme al Capítulo VI de la Ley 11/2015, y en particular, al antes transcrito artículo 37.2, referente a los efectos por amortización y conversión de instrumentos de capital y recapitalización interna, y al artículo 37.4 de la Ley, por reducción a cero a través del FROB del importe principal o del importe pendiente de un pasivo.

Hay que subrayar, según se reseña en la citada Sentencia de este Tribunal de 14 de diciembre de 2022, que la jurisprudencia del Tribunal de Justicia no distingue diferentes tipos de accionistas ni discrimina las pretensiones ejercitadas por el origen de la adquisición de las acciones. Respecto de la excepción de falta de legitimación ha declarado reiteradamente el Tribunal Supremo (entre otras Sentencias de 30 de mayo de 2002 con cita de las Sentencias de 17 de julio y 29 de octubre de 1992, 20 de octubre de 1993, y 1 de febrero de 1994 y 13 de noviembre de 1995) que la legitimación activa o pasiva de las partes, como cuestión ligada indisolublemente al interés legítimo que hay que poseer para accionar y ejercitar el derecho a la tutela efectiva de tales intereses (art. 24.1 de la Constitución), puede ser examinada de oficio por el órgano jurisdiccional.

A la vista de lo anteriormente fundamentado, la Sala aprecia la falta de legitimación activa de la parte demandante para accionar frente a BANCO DE SANTANDER S.A., lo que conduce a desestimar el recurso de apelación formulado, toda vez que en última instancia conlleva la desestimación de la demanda promovida por el demandante contra Banco Santander SA (como se resuelve en el fallo de la sentencia dictada en la instancia).

Cesión de créditos

Caso 17

Resumen: Falta de legitimación activa de la demandante que silencia completamente la adquisición derivativa del crédito que está ejecutando, pues debió haber aportado en la demanda de contestación la escritura pública o testimonio de la misma.

Sentencia: AP Madrid, Sec. 18.ª, 118/2014, de 24 de marzo. Recurso 138/2014 (SP/SENT/762355).

Argumentación jurídica: Pues bien en el presente caso, resulta del todo evidente la falta de legitimación activa *ad causam* de la entidad que se postula como acreedora y como demandante en el litigio. No se le pone en duda la legitimidad de la figura la cesión de créditos, y nadie pone en duda que el cesionario ostentaría legitimación activa para poder reclamar judicialmente el crédito que se ha obtenido mediante la escritura de cesión. Lo que ocurre en el presente caso es que la entidad demandante silencia completamente la adquisición derivativa del crédito que está ejecutando, y de la simple lectura tanto de la pretensión de procedimiento monitorio como de la interposición de la demanda aparece intitulándose como si fuese ella misma la que suscribió el contrato de tarjeta de crédito cuyo débito se reclama en el presente proceso. No es hasta que no se produce la contestación del actor cuando intenta, inútilmente, aportar la escritura de cesión, olvidando que de acuerdo a la preceptiva del artículo 265 de la Ley de Enjuiciamiento Civil, que establece que a toda demanda de contestación habrá de acompañarse, los documentos en que las partes funden su derecho a la tutela judicial que pretenden. Pues bien, es del todo evidente que la parte actora y en la instancia apelante debió de haber aportado en ese momento la justificación de su legitimación mediante la aportación de la escritura pública o del testimonio de la misma, o siquiera haber hecho una mención a ella designando archivos, lo que no ha hecho, queriendo suplir dicha omisión en el trámite de la audiencia previa, momento procesal que no es procedente para ello.

Frente a ello no puede oponerse como se hacen al recurso la conocida doctrina emanada por el Tribunal Supremo en el sentido de que no cabe negar la legitimación a que se le ha reconocido extraprocesalmente o fuera del litigio, pues en el presente caso no se ha producido ningún reconocimiento de la cualidad de acreedora del hoy apelante; el mero hecho de que se haya contestado la petición de requerimiento monitorio afirmando que nada se debía y que no era correcta la interposición de la reclamación, no significa que se haya producido un aquietamiento con la legitimación de la ahora recurrente para reclamar la deuda, mucho menos cuando la misma tiene una denominación social parcialmente idéntica a la primitiva titular del crédito, por ello el motivo se desestima y la sentencia se confirma.

Por lo mismo carecen de eficacia el resto de las alegaciones vertidas en el recurso. El mero hecho de que la recurrente presentase con la demanda incluso en el procedimiento monitorio los documentos justificativos del crédito, no quiere decir que por ese solo hecho este reconoció la cesión, pues no es el caso de que la misma se haya producido lo que sin duda ha ocurrido sino que la demandante no se presenta en el litigio como cesionaria de los derechos de la entidad Bankinter Consumer Finance E.F.C., S.A., sino como si fuese ella misma la que ha realizado las operaciones de las cuales dimana la deuda que se reclama, por lo que no cabe atender al recurso.

Cláusula suelo

Caso 18

Resumen: Falta de legitimación activa de la actora para solicitar la nulidad de la cláusula suelo, ya que si bien compró la finca hipotecada, no lo notificó a la entidad prestamista, ni cumplió los requisitos para que se aceptara su subrogación.

Sentencia: AP Barcelona, Sec. 4.ª, 268/2017, de 25 de abril. Recurso 693/2016 (SP/SENT/926084).

Argumentación jurídica: Doña Bibiana, el día 30 de diciembre de 2008, suscribió escritura pública de compraventa con la mercantil STYL ARKITECTURA S.L. por la que adquirió el pleno dominio de la mitad indivisa de la finca número NÚM000 del Registro de la Propiedad de SANTA LUCÍA DE TIRAJANA, al tomo NÚM001, libro NÚM002 de SANTA LUCÍA, folio NÚM003, por el precio de 6.000 euros, que la vendedora reconoce recibidos.

En dicha escritura no se hace referencia alguna a la subrogación de la demandante en el préstamo hipotecario que grava la finca, concedido en fecha 11 de diciembre de 2003 por CAJA DE ARQUITECTOS SOCIEDAD COOPERATIVA DE CRÉDITO, en favor de STYL ARKITECTURA S.L. y de CUTRE WINDSURFING S.L., por importe de 300.000 euros.

En el Pacto DECIMOSEGUNDO. TRANSMISIÓN DE LA FINCA Y SUBROGACIÓN DE LA DEUDA PERSONAL HIPOTECARIA de la escritura de préstamo hipotecario, al folio 60, se indican los pasos a seguir en caso de venta o enajenación por cualquier título de la finca hipotecada.

No consta que DOÑA Bibiana se haya subrogado en el préstamo hipotecario, y desde luego, no ha cumplido los requisitos pactados en la escritura de préstamo hipotecario para que la CAJA DE ARQUITECTOS SOCIEDAD COOPERATIVA DE CRÉDITO acepte dicha subrogación.

No consta que Doña Bibiana haya notificado la compraventa y ni siquiera ha justificado haber abonado las cuotas hipotecarias a los efectos de justificar la subrogación tácita en la que se funda la demanda.

La titularidad del préstamo sigue correspondiendo a dos personas jurídicas que vienen pagando las cuotas hipotecarias, según se desprende del documento 3 de los que acompañan al escrito de contestación a la demanda, al folio 112.

Además, dichas mercantiles, no ostentan la condición de consumidores y usuarios pues consta en la escritura de préstamo hipotecario, su condición de promotores inmobiliarios.

En definitiva, no se ha llegado a producir la subrogación porque no ha habido consentimiento expreso ni tácito de la CAJA DE ARQUITECTOS SOCIEDAD COOPERATIVA DE CRÉDITO, habiendo indicado el Tribunal Supremo, en la sentencia de 28 de noviembre de

2014, que es imprescindible que exista un consentimiento tácito o expreso pero inequívoco del acreedor para que la subrogación hipotecaria se produzca, lo que no sucede en el caso.

En concreto, no se han cumplido los requisitos fijados en el PACTO DECIMOSEGUNDO de la escritura de préstamo hipotecario, no constando siquiera que la demandante notificara a la CAJA DE ARQUITECTOS SOCIEDAD COOPERATIVA DE CRÉDITO la compraventa de la mitad indivisa de la finca, por lo que la actora carece del legitimación activa para instar la nulidad de las cláusulas de la escritura pública de préstamo hipotecario suscrito entre CAJA DE ARQUITECTOS SOCIEDAD COOPERATIVA DE CRÉDITO y las mercantiles STYL ARKITECTURA S.L. y de CUTRE WINDSURFING S.L.

Compraventa

I. De agencia inmobiliaria por actuar como simple representante de la vendedora

Caso 19

Resumen: Falta de legitimación de la inmobiliaria para solicitar la nulidad o resolución del contrato de compraventa, al no ser parte del mismo, ya que únicamente actuó como representante de la vendedora

Sentencia: TS, Sala Primera, de lo Civil, 221/2016, de 7 de abril. Recurso 2416/2013 (SP/SENT/849099).

Argumentación jurídica: Acumula en la cita de normas infringidas una serie de preceptos del Código Civil de contenido heterogéneo como son los arts. 1.124 (resolución de los contratos por incumplimiento), 1258 (perfección de los contratos y consecuencias), 1.261 y 1.262 (elementos esenciales del contrato y formación del consentimiento), 1.445 y 1.450 (concepto del contrato de compraventa y perfección del mismo) y 1.282 (interpretación del contrato atendiendo a los actos de los contratantes), faltando así a la claridad y precisión exigibles en todo motivo de casación (sentencias 503/2015, de 21 de septiembre, y 373/2015, de 26 de junio).

2.ª) Impugna la interpretación del contrato hecha por el tribunal sentenciador sin dedicar un motivo específico y previo a ello y, sobre todo, silenciando el contenido de las cláusulas que no convienen a sus intereses, como es el de la condición adicional 1.ª.a) en la que, pese a decirse que la hoy recurrente «es la propietaria de la propiedad en cuestión, o autorizada para disponer», se añade en seguida que «el vendedor tiene una autorización de venta con la fecha 1.09.2003 del propietario, señor Virginia».

3.ª) En consecuencia, la interpretación del tribunal sentenciador de que el contrato de compraventa se celebró entre los demandantes-reconvenidos, como compradores, y el Sr. Virginia, como vendedor representado por la hoy recurrente, no solo nada tiene de ilógica, irracional o arbitraria, únicos casos en los que cabe revisar la interpretación contractual en casación, sino que se ajusta al propio contenido del contrato considerado en su integridad.

4.ª) En suma, la sentencia recurrida no niega la validez de la venta de cosa ajena en nuestro Código Civil, sino que resuelve el litigio desde la perspectiva de lo que verdaderamente se hizo constar en el contrato, determinante de la falta de legitimación pasiva de la hoy recurrente para soportar la acción de nulidad o resolución del contrato ejercitada por los compradores y de su falta de legitimación activa para pedir la resolución del mismo contrato por incumplimiento de los compradores.

II. Por pretender la resolución de una compraventa en la que intervinieron ambos cónyuges como compradores

Caso 20

Resumen: Falta de legitimación activa, dado que tratándose la acción ejercitada la de resolución del contrato de compraventa de una vivienda en el que intervinieron los cónyuges, ambos han de concurrir en la relación jurídico procesal.

Sentencia: AP Valencia, Sec. 11.ª, 414/2009, de 30 de junio. Recurso 292/2009 (SP/SENT/474627).

Argumentación jurídica: De existir entre los que figuran como compradores una sociedad de gananciales, tampoco ello propugnaría la legitimación activa del demandante: de un lado, porque la facultad que contempla el art. 1.385 párrafo 2.º del CC no es de interpretación extensiva y absoluta respecto a cada cónyuge individualizado, sobre todo cuando de su ejercicio se derivan consecuencias negativas, cual es la resolución de un contrato de compraventa de una vivienda que afecta al derecho de propiedad sobre la misma, aunque esta aún no se hubiera adquirido por faltar al título (contrato de compraventa) la tradición; de otro, porque la facultad que el citado art. 1.385 concede a cualquiera de los cónyuges para defender derechos y bienes comunes no significa más que cualquiera de ellos está legitimado para hacer esa defensa, pero no que activa o pasivamente hayan de ejercitar o soportar exclusivamente el ejercicio de una acción que por afectar a ambos debía ser entablada por ellos conjuntamente o dirigida contra los dos; y de otro, porque, tratándose la acción ejercitada de un acto de disposición de un bien ganancial, se requiere para su ejercicio de la actividad consensuada y conjunta de ambos cónyuges...

... la parte apelante insiste en que la acción ejercitada es personal y no real, para con ello tratar de convencer a este Tribunal de la legitimación activa del demandante y de lo innecesario de haber traído a pleito como demandante a D.ª Fermina. Pero tan sugestiva argumentación no puede conducir a la revocación de la sentencia apelada, pues, mediando bienes pertenecientes a la sociedad de gananciales, la jurisprudencia, al respecto de la legitimación, tiene sentado el siguiente cuerpo de doctrina: a) si la acción que se ejercita es real, han de concurrir al proceso ambos cónyuges; y b) si la acción que se ejercita es personal con relación a un determinado contrato, habrá que distinguir varios supuestos: si el contrato es firmado por uno solo de los cónyuges, bastara con que solo él concurra al proceso; y si en el contrato intervienen ambos cónyuges, cual es el caso que nos ocupa, ambos habrán de concurrir en la relación jurídico-procesal, dado que uno solo de ellos no sería titular exclusivo y excluyente de la relación jurídico material litigiosa.

III. Por pretender uno solo de los vendedores la resolución de una compraventa en la que intervinieron varios

Caso 21

Resumen: Falta de legitimación activa de uno de los vendedores para instar la resolución de la compraventa cuando no actúan como demandantes el resto de transmitentes o no se cuenta con su consentimiento o autorización

Sentencia: AP Córdoba, Sec. 1.ª, 61/2023, de 24 de enero. Recurso 1861/2022 (SP/SENT/1180198).

Argumentación jurídica: Para el caso de autos, contamos con que la acción ejercitada en la demanda es la de resolución del contrato de compraventa de 30.8.2020 con devolución de la entrega realizada.

Como resulta de la doctrina anterior, cuando se está en un caso de varias personas del lado activo de la relación jurídica y se pretende la resolución de un contrato, será preciso que todos intervengan en el procedimiento, directa o indirectamente (a través de autorización o consentimiento de lo actuado por el otro).

Resulta que esa tercera persona que intervino en el contrato de autos como compradora junto con el demandante, no solo no aparece como demandante, sino que tampoco ha intervenido en el procedimiento para poner de manifiesto que este actúa con su autorización o consentimiento a los fines pretendidos en la demanda presentada. En esta situación es patente que se produce ese litisconsorcio activo no respetado en la demanda como señala la sentencia apelada.

El que el derecho de propiedad del inmueble objeto del contrato no haya sido transmitido a los compradores al no haberse producido la entrega material o simbólica del mismo (artículos 1.462 y 1.095 del Código Civil y jurisprudencia que lo interpreta), no modifica la situación jurídica puesto que el contrato está perfeccionado y da lugar a derechos y obligaciones para ambas partes, y estos se atribuyen tanto a los vendedores, como también a las dos personas que intervienen como compradoras, y que para estos comprendería el derecho tanto a pretender la entrega del inmueble caso de cumplimiento regular de las obligaciones asumidas por ellos, como la resolución contractual con devolución de prestaciones y, en su caso, daños y perjuicios caso de incumplimiento por la parte contraria, pero como acción conjunta o de uno de ellos autorizado por el otro en este último caso.

Aquí se trata de actos de disposición expresos en cuanto que se pretende la resolución del contrato, por lo que no se puede dar el mismo tratamiento aquí que a los supuestos de actuación en defensa de intereses comunes, para lo que bastará, conforme a jurisprudencia reiterada, que meramente se indique en la demanda que el demandante único actúa en interés del resto de cotitulares, presumiéndose que así lo hace aunque nada exprese o incluso que cuenta con el acuerdo mayoritario de ellos, a salvo prueba en contrario. Aquí hace falta esa actuación conjunta o consentida.

Se señala en el recurso que el contrato estaba ya "extinguido" por lo que lo realmente relevante aquí es la restitución del dinero que, dice, es del demandante al proceder de cuentas de su titularidad y para lo que esa tercera persona no tiene ningún interés. Esto nos remite a la documental aportada, según la cual:

– el burofax de los demandados-vendedores dando por resuelto por incumplimiento imputable a los compradores, lo dirigen a los dos, y justificándolo por el transcurso de los tres meses de que disponían los compradores para convocarlos al otorgamiento de escritura pública,

– el burofax de respuesta, aunque con los nombres de los dos compradores tanto en el encabezamiento como en el final del texto remitido, lo cierto es que consta remitido exclusivamente por el hoy demandante, no por ambos, y, repetimos, sin que esa tercera persona haya venido al juicio a declarar que se hizo con su consentimiento expresando ese texto también su voluntad, a saber, la conformidad con la resolución del contrato de compraventa pero por causa imputable a los vendedores por cuestiones urbanísticas que se dicen comprometidas en aquel y que el inmueble no reunía, y la restitución del metálico entregado, y

– constando en el contrato la entrega por los compradores de la cantidad cuya restitución aquí se interesa, esto se solicita exclusivamente a favor del demandante bajo el argumento de la procedencia del dinero de cuenta de su titularidad exclusiva, en lo que aquí no se va a entrar, pero que no puede tenerse sin más como hecho cierto, sin que esa tercera persona también compradora comparezca en este procedimiento y lo corrobore, pues en otro caso, no se podría atender a ese pedimento en cuanto que sería resolver sin oírla como directamente interesada, so pena de causarle indefensión proscrita por el artículo 24 CE.

Con estos antecedentes no se puede afirmar que el contrato estaba ya resuelto con anterioridad a la presentación de la demanda, ni que el objeto de este se concretaría exclusivamente en la restitución de la cantidad entregada a la firma del contrato, ni que podamos resolver sin esa tercera persona sobre pronunciamiento de restitución de dinero. Es evidente que no cabe entrar aquí en si medió incumplimiento por una u otra parte, o si se trata de arras penitenciales o meramente confirmatorias.

Como conclusión de todo lo anterior, hemos de considerar ajustada a Derecho la respuesta dada en la instancia al apreciar la existencia de un litisconsorcio activo no respetado en la demanda, sin perjuicio de que pueda reproducirse la cuestión ya con intervención de ambos interesados como compradores del contrato de 30.8.2020...

Comunidad de bienes

I. Por falta de personalidad jurídica de la comunidad

Caso 22

Resumen: Falta de legitimación activa y pasiva de una comunidad de bienes, pues carece de personalidad jurídica y, por tanto, no puede ser parte procesal.

Sentencia: AP Ávila, Sec. 1.ª, 264/2022, de 19 de septiembre. Recurso 435/2021 (SP/SENT/1162274).

Argumentación jurídica: Antes de entrar a conocer sobre los concretos motivos o las concretas causas de apelación alegados por la parte demandada, este tribunal de oficio debe resolver sobre la legitimación pasiva o la falta de legitimación pasiva de la entidad DIRECCIÓNOOO C.B., esto es, si dicha entidad puede ser demandada o puede ejercitar acciones civiles como cualquier otra comunidad de bienes en cualquier tipo de juicio o de procedimiento civil o si, por el contrario, al tratarse de una comunidad de bienes, carece de personalidad jurídica y por tanto no puede ser demandada ni ejercitar acciones civiles.

Entrando a conocer sobre la cuestión procesal planteada de oficio, como indica la sentencia del tribunal supremo de veintidós del mes de mayo del año 1993, reiterando la doctrina ya mantenida en sentencia de diecisiete del mes de noviembre del año 1977, las comunidades de bienes, regidas por lo dispuesto en los artículos trescientos noventa y dos y siguientes del código civil, no solo carecen de personalidad jurídica sino que, además y a consecuencia de ello, carecen de capacidad procesal para comparecer en juicio, siendo de ordinario necesario ostentar la primera para atribuirse la segunda, salvo en el supuesto excepcional de las llamadas uniones sin personalidad con capacidad legalmente conferida para actuar judicialmente por medio de su representante legal, cuyo caso paradigmático es el de las comunidades de propietarios en régimen de propiedad horizontal (artículo doce apartado primero de la ley de veintiuno del mes de julio del año 1960) pero, fuera de ese supuesto, la comunidad de bienes constituye un modo compartido de propiedad de cosas o derechos que no permite perfilar una entidad con personalidad jurídica propia ni con legitimación *ad processum* o capacidad para comparecer en juicio.

En definitiva, la comunidad de bienes demandada DIRECCIÓNOOO C.B. es una comunidad regulada por los artículos trescientos noventa y dos y siguientes del código civil, artículos estos que recogen la concepción romana de la comunidad por cuotas ideales o abstractas que no tiene concreción material hasta el instante de la división de la comunidad de bienes y que carece de personalidad jurídica (artículo treinta y cinco del código civil que recoge una enumeración "numerus clausus") y, en consecuencia, no puede ser titular de derechos y obligaciones (artículo treinta y ocho párrafo primero del código civil a contrario "sensu"). De ahí que la misma no pueda ser demandada ni pueda demandar por sí sola y, por tanto, no pueda comparecer ni ser demandada en juicio.

Las comunidades de bienes actúan en el tráfico jurídico a través de las personas físicas o partícipes, que son los que contratan, deciden y disponen al igual que los copropietarios o comuneros, y no cabe confundir la capacidad o copropiedad de tales personas físicas, que la tienen plena como tales personas físicas, con la personalidad jurídica independiente, de la que carecen las comunidades de bienes, que como se ha dicho más arriba, no pueden comparecer ni ser demandadas en juicio. Por tanto, en el caso presente, la citada comunidad demandada DIRECCIÓNOOO C.B. carece de personalidad a los efectos de comparecer en juicio, y lo correcto hubiera sido que la acción fuera sustentada única y exclusivamente contra todas las tres personas físicas que conforman tal comunidad de bienes; y es que no puede confundirse este tipo de comunidades con las que se forman al amparo de la ley de propiedad horizontal, en las que sí es el presidente el que ostenta la representación de la comunidad tanto en juicio como fuera de él por disposición legal.

Así la sentencia de la sección tercera de la audiencia provincial de Valladolid de fecha once del mes de mayo del año dos mil diecisiete señala que, "por otra parte, se desestima igualmente la demanda respecto de la comunidad de bienes demandada por apreciar la sala que carece de capacidad procesal para ser parte en el presente procedimiento. Nos encontramos ante un sujeto que carece de personalidad jurídica, siendo necesario que sean llevados a juicio todos los comuneros cuando se trata de hacer efectivas las responsabilidades que pesan sobre aquella, so pena de generar indefensión a alguno de los integrantes de la misma, o que se declare una responsabilidad general en supuestos en los que procede la individualización de las responsabilidades entre cada uno de sus miembros. En este sentido, la sentencia del tribunal supremo de trece del mes de mayo del año dos mil cinco señaló que "... si bien un comunero está legitimado activamente para litigar en su propio nombre y en beneficio de la comunidad o con el consentimiento de los demás comuneros, no ocurre lo mismo en el caso de que la demanda afecte o se dirija contra una comunidad de bienes en que habrán de ser demandados todos los comuneros, independientemente de que alguno tenga la representación voluntaria de los restantes copropietarios (por todas, sentencia del tribunal supremo de dieciséis del mes de febrero del año 1998)". En el caso que nos ocupa parece lógico no condenar a la comunidad de bienes firmante del contrato de colaboración o prestación de servicios al abono de la indemnización pues ello supondría, inevitablemente, la condena a D.ª ..., como parte integrante de la misma".

En igual sentido la sentencia de la sección segunda de la audiencia provincial de León de fecha veintiocho del mes de mayo del año dos mil quince afirma que "discrepan los impugnantes en primer término con la estimación de falta de legitimación pasiva en cuanto a la comunidad de bienes ... C.B., así como con la imposición de las costas causadas a su instancia a la parte demandante, argumentado que la referida comunidad de bienes necesariamente debió ser traída al procedimiento ya que D. ..., giraba sus honorarios y facturaba a nombre de ... C.B., pero olvida la parte impugnante que las comunidades de bienes carecen de personalidad jurídica independiente de la de los comuneros que la integran, y que por tanto no pueden ser demandadas como tales, sino que han de ser traídos al procedimiento, en su caso, los integrantes de la misma; de ahí que haya de considerarse que en la sentencia de instancia se ha apreciado correctamente la falta de legitimación pasiva de la expresada comunidad de bienes, ya que, cuando hay que demandar a una comunidad de bienes, se debe demandar simultáneamente a todos los comuneros y no a la comunidad de bienes, al carecer de personalidad jurídica, y por ende que la imposición de costas se ajusta a los criterios que para su imposición establece el artículo 394 de la ley de enjuiciamiento civil".

Igualmente en este sentido cabe citar las sentencias de la sección quinta de la audiencia provincial de Vizcaya de dos del mes de febrero del año dos mil seis, de la sección décima de la audiencia provincial de Madrid de siete del mes de febrero del año dos mil cinco, de la sección séptima de la audiencia provincial de Asturias de nueve del mes de julio del año dos mil dos y especialmente la sentencia de la audiencia provincial de Ávila de diecisiete del mes de noviembre del año dos mil seis.

Es cierto que existe alguna jurisprudencia menor aislada de algunas audiencias provinciales en sentido contrario al anterior pero tal jurisprudencia es claramente minoritaria y además no es seguida por la audiencia provincial de Ávila.

Por todo ello y en definitiva no puede tenerse como parte demandada ni como parte reconviniente a la entidad DIRECCIÓN000 C.B. ya que, al tratarse de una comunidad de bienes, carece de personalidad jurídica y por tanto no puede ser parte procesal ni como parte actora ni como parte demandada ni como parte reconviniente ni como parte reconvenida; en consecuencia procede la desestimación de las acciones ejercitadas por la parte actora D.ª Salome frente a ella e igualmente procede la desestimación de las acciones ejercitadas por dicha entidad carente de personalidad jurídica frente a la mencionada parte reconvenida D.ª Salome.

II. Para ejercitar una acción reivindicatoria

Caso 23

Resumen: Un copropietario de una cuota parte indivisa no puede ejercitar una acción reivindicatoria contra otro ya que ambos comparten el derecho de propiedad.

Sentencia: AP Badajoz, Mérida, Sec. 3.ª, 206/2009, de 29 de mayo (SP/SENT/462856).

Argumentación jurídica: La única finca litigiosa pertenece proindiviso a ambas partes, y aunque se alegue que en la práctica se procedió a la división en dos partes ello no es admisible como título de propiedad porque tal reparto supone una cesación de hecho en el condominio sin las formalidades jurídicas y requisitos necesarios, dividiendo una finca que no es divisible. La divisibilidad de una finca no viene determinada solo por la posibilidad física de partirla sino por la normativa legal en cuanto las resultantes cubran las medidas mínimas de superficie (vid. Ley 19/1995 de 4 de julio, sobre modernización de las explotaciones agrarias y las normas que la desarrollan), de manera que, como sucede en este caso, puede ser jurídicamente indivisible una finca cuya división física sea factible. Ello impide el ejercicio de una acción de dominio ya sea declarativa o reivindicatoria pues un copropietario de una cuota parte indivisa no puede ejercitar una acción reivindicatoria contra otro ya que ambos comparten el derecho de propiedad (art. 392 CC).

III. Para ejercitar el desahucio por expiración del plazo

Caso 24

Resumen: No procede acción desahucio local por expiración prórroga ejercitada por un comunero, ya que no supone ningún beneficio para la comunidad, pues el desahucio produciría la no percepción de las rentas y, además, está solicitada la división cosa común.

Sentencia: AP Madrid, Sec. 9.ª, 472/2018, de 12 de noviembre (SP/SENT/985030).

Argumentación jurídica: Son hechos no controvertidos los siguientes:

1.º Que con fecha 1 de abril de 2002 (folio 22) se suscribió contrato de arrendamiento de local por Doña Rebeca, como arrendadora, con la Sociedad CENTRO DE ATENCIÓN INTEGRAL DE MAYORES LOS OLIVOS, S.L.; que dicho local es propiedad en proindiviso de DOÑA Rebeca y de su hija Doña Julieta;

2.º Que el tiempo de duración fijado como plazo de duración del contrato es el de CINCO AÑOS contados a partir del día 1 de abril de 2002;

3.º Que llegada la fecha de vencimiento del plazo inicialmente estipulado, el contrato se prorrogará por idénticos períodos de mediar tres meses antes del vencimiento del plazo pactado o del de la correspondiente prórroga, denuncia escrita de alguna de las partes, manifestando su voluntad a la otra, de no prorrogar el contrato;

4.º Que el arriendo se vino sucesivamente prorrogando por períodos quinquenales hasta que el 15 de febrero de 2016 se comunicó fehacientemente a la mercantil arrendataria, la no renovación del contrato a su vencimiento;

5.º Que con carácter previo, se remitió a instancia de la Sra. Julieta a la copropietaria de la vivienda, a los efectos de lo dispuesto en el artículo 398 del C. Civil, (documento n.º 9) escrito comunicándole su voluntad de extinguir el condominio existente sobre todas las fincas en proindiviso y de no seguir prorrogando los contratos de arrendamiento suscritos con la demandada, a sus respectivos vencimientos, incluido el relativo a la vivienda de la C/ DIRECCIÓN000 n.º NÚM000;

6.º Que la actora es propietaria del 50 % del inmueble cuyo desahucio por expiración del término ha promovido; y además, es igualmente socia-partícipe de la mercantil demandada CENTRO DE ATENCIÓN INTEGRAL DE MAYORES LOS OLIVOS, S.L.

Expuesto lo anterior, es de aplicación la constante y reiterada jurisprudencia, según la cual el contrato de arrendamiento es un acto de administración, para cuya constitución y extinción no se requiere la unanimidad de los condueños. La pretensión de resolver un contrato de arrendamiento afecta al derecho de uso y disfrute de la cosa, no a la facultad de disposición, que integra el derecho de propiedad.

Ahora bien, la Sentencia del Tribunal Supremo de fecha 13 de julio de 2012 dice al respecto: "El primer motivo formulado por infracción procesal por la demandada doña Felicidad denuncia la falta de la legitimación de la demandante al ostentar únicamente una parte en la comunidad de bienes a la que pertenece el inmueble arrendado, denunciando que la sentencia recurrida ha infringido los artículos 10 de la Ley de Enjuiciamiento Civil y 398 del Código Civil, así como la jurisprudencia de esta Sala sobre la legitimación de los comuneros.

El motivo ha de ser estimado. Es cierto que esta Sala ha declarado que cualquiera de los condóminos puede ejercitar acciones en beneficio de la comunidad (sentencias de 15 enero 1988, 21 junio y 18 diciembre 1989, 28 octubre y 13 diciembre 1991, 8 abril y 6 noviembre 1992 y 22 mayo 1993, 14 marzo 1994, 6 junio 1997 y 7 diciembre 1999), precisando, no obstante, que la sentencia que resulte desfavorable para esta no afecta negativamente al resto de los comuneros no litigantes, lo que limita decisivamente los efectos de la cosa juzgada. Pero el reconocimiento de tal legitimación excepcional se fundamenta en una presunción de aceptación y conformidad del resto de los comuneros que lógicamente se asienta en la previsión de una sentencia favorable a los intereses comunes, que sin embrago no puede extenderse a los supuestos en que el éxito de la acción ejercida –extinción de contrato de arrendamiento– no ha de suponer necesariamente un beneficio para la comunidad, máxime cuando, como ocurre en el caso presente, los copropietarios se han opuesto expresamente en el proceso a dicha extinción.

En consecuencia, para demandar válidamente sería necesario un previo acuerdo entre los comuneros que habilitara a alguno de ellos para actuar en juicio o, en su caso, que tal actuación reuniera a la mayor parte de los intereses de la comunidad. En caso contrario, como nadie puede ser obligado a demandar, no cabe plantear la existencia de una situación de litisconsorcio activo necesario, pero sí la de la falta de legitimación a que se refiere el artículo 10 de la Ley de Enjuiciamiento Civil al no resultar quien actúa titular "de la relación jurídica u objeto litigioso".

La sentencia núm. 989/2007, de 3 octubre, afirma que la figura doctrinal del litisconsorcio activo necesario no está prevista en la Ley y no puede equipararse al litisconsorcio pasivo necesario, impuesto en su acogimiento jurisprudencial incluso de oficio, en defensa del principio de que nadie puede ser condenado sin ser oído. A lo que añade que "a este efecto, como quiera que nadie puede ser obligado a litigar, ni solo, ni unido con otro, la consideración de que la disponibilidad del sujeto demandante sobre el objeto de la demanda no puede ejercitarse sino en forma conjunta o mancomunada con otro sujeto, se traduciría en una falta de legitimación activa, que como tal carecería de un presupuesto preliminar a la consideración de fondo, pero basado en razones jurídico-materiales, lo que debe conducir a una sentencia desestimatoria".

Esta es la situación que se aprecia en el presente proceso en el cual ha figurado como parte demandante quien por sí no estaba facultada para disponer de su objeto".

Lo expuesto en la anterior sentencia resulta de plena aplicación al supuesto enjuiciado, pues la acción ejercitada no supone beneficio alguno para la Comunidad, pues el desahucio produciría la falta de percepción de las rentas que el arrendamiento produce, amén de que en el supuesto concreto enjuiciado carece de justificación puesto que la demandante tiene interpuesta una demanda en la que solicita la división de las propiedades en común contra su madre Doña Rebeca (administradora única de la demandada), entre los que se encuentra el inmueble cuyo desahucio se interesa, inmueble sito en la C/ DIRECCIÓN000 n.º NÚM000.

Caso 25

Resumen: La actora copropietaria de los locales no ha acreditado que esté ejercitando la acción de resolución parcial del contrato de arrendamiento en beneficio de la comunidad por lo que se desestima la demanda.

Sentencia: AP Madrid, Sec. 12.ª, 158/2017, de 27 de abril (SP/SENT/910578).

Argumentación jurídica: Partiendo de que existe tal comunidad de bienes, cabría plantearse si en el presente supuesto es de aplicar la doctrina del Tribunal Supremo que dispone que cualquier comunero puede actuar en nombre de la comunidad, aun sin contar con el consentimiento de los demás comuneros, cuando actúa en beneficio de la comunidad.

Sin embargo, para que ello sea así es preciso que la acción ejercitada por el comunero sea claramente en beneficio de la comunidad.

Indica la Sentencia del Tribunal Supremo de 4 de marzo de 2013:

"Solo son admisibles como válidos y eficaces los actos particulares de los comuneros, si no consta el asentimiento de los demás, cuando la actuación de aquellos redunda en claro provecho de la comunidad, pero no en el caso contrario, como en el supuesto de arrendamiento o enajenación de la cosa (SSTS 14 de diciembre de 1973, 19 de diciembre de 1985, 8 de julio de 1988, 25 de mayo de 1990, 23 de octubre de 1990, 30 de junio de 1993, 24 de julio de 1998, 13 de noviembre de 2001, RC n.º 3496/1999, 9 de octubre de 2008, RC n.º 3636/2001)".

En el presente supuesto la actora no actúa en nombre ni en beneficio de la comunidad.

No actúa en nombre de la comunidad, ya que solicita la resolución de únicamente una parte de lo que es objeto del contrato de arrendamiento.

No consta que actúe en beneficio de la comunidad arrendaticia, ya que nada permite suponer que el otro copropietario pueda verse beneficiado por el hecho de que se resuelva parcialmente el contrato de arrendamiento, motivando con ello la correspondiente distorsión en el objeto contractual y la previsible voluntad de la demandada de abandonar ambos locales que configuran el objeto arrendaticio.

La propia demandante en el acto de juicio señaló que no podía obligársele a litigar conjuntamente con la otra propietaria, ya que esta podría querer continuar con el contrato (9:20, aproximadamente, de la grabación del juicio), lo cual implica reconocer que su actuación no es necesariamente en beneficio de la comunidad arrendaticia.

Por todo ello, el recurso debe ser desestimado.

IV. Para ejercitar el desahucio por falta de pago

Caso 26

Resumen: Se aprecia falta de legitimación activa toda vez que la demandante ostenta únicamente una parte en la comunidad de bienes a la que pertenece el inmueble arrendado, por lo que no se estima en la acción de desahucio por impago de rentas.

Sentencia: AP Madrid, Sec. 18.ª, 226/2020, de 8 de julio (SP/SENT/1062852).

Argumentación jurídica: Consecuentemente, si se prescinde del mismo y que debe así partirse de que el éxito de la acción ejercitada, extinción del contrato de arrendamiento, no ha de suponer necesariamente un beneficio para la comunidad de bienes cuando ello implicaría que se dejen de percibir las rentas, no cabe otra decisión que afirmar que en tanto no consta que la demandante contara con la correspondiente autorización de las otras comuneras para instar la extinción de la relación arrendaticia, procede con estimación del recurso interpuesto estimar la falta de legitimación activa *ad causam* opuesta y, por ende, desestimar la demanda sin necesidad de entrar en los restantes motivos.

Caso 27

Resumen: Falta de legitimación para ejercer acción de desahucio por falta de pago, o más bien de la facultad para comparecer en juico y ejercer acciones procesales, toda vez que el demandante no puede actuar en nombre de la comunidad de bienes.

Sentencia: AP Asturias, Oviedo, Sec. 5.ª, 382/2018, de 31 de octubre (SP/SENT/985644).

Argumentación jurídica: Entrando en los motivos de fondo, apuntó y apunta el recurrente el carácter limitado y restringido de los de desahucio por falta de pago (arts. 444.1 y 447.2 LEC), lo que no los hace aptos para soportar el debate sobre el conflicto que, en el ámbito interno, se ha instalado entre los comuneros; pero, siendo cierto el carácter sumario del proceso, no se puede soslayar el examen de la falta de legitimación del accionante cuando esta ha sido negada o puesta en entredicho, siquiera, en adecuada consideración al predicho carácter del proceso, hemos de limitarnos a un aproximación sobre lo debatido, sin entrar en consideraciones que solo atañen a la relación interna entre los comuneros, como puede ser la calificación del pacto constitutivo de la Comunidad, si como de simple Comunidad o de sociedad civil (siquiera irregular del art. 1.699 CC) carente de personalidad jurídica propia (siempre difícil de resolver, aunque en caso de duda debe de primar la consideración como comunidad de bienes, así STS 17-7-2012).

Pues bien, partiendo de que tanto la suscripción de un contrato de arriendo como su resolución o el cobro de las rentas son actos de administración (STS 12-5-1972, 25-9-1995, 19-9-1997 y 16-10-2014), vienen estos sujetos al régimen del estatuto pactado al constituir la Comunidad y sino, supletoriamente, al régimen de mayorías dispuesto por el art. 398 CC; y del mismo modo, si es que se pretendiese hallarnos ante una sociedad, de nuevo, habrá de estarse a los convenido en cuanto a la organización de la sociedad (STS 21-10-2007), y en el caso, en el contrato constitutivo se dispuso, aun cuando se nombraba a Don Romeo con funciones de administración y representación, someter las alteraciones de la cosa común al régimen del art. 397 del CC y los demás acuerdos al régimen de la mayoría del interés, es decir, los actos de disposición a la unanimidad y los de administración al régimen de mayorías del art. 398 CC, y con carácter supletorio la normativa relativa a la Comunidad de bienes (arts. 382 y sigts. CC), de forma y en consecuencia que Don Romeo, aún en su condición de Presidente, no podía ni debía accionar en nombre de la Comunidad al margen del régimen de mayorías y por su sola condición de Presidente y representante de la Comunidad con apoyo en el art. 1.692 del CC (invocado por Don Romeo en el cruce epistolar con su hermana) atendido lo pactado en el contrato de constitución, cuanto más, si como afirma Doña Consuelo, en su estado actual ella es titular de la mayor cuota de interés en la comunidad y que en principio, de acuerdo con el art. 398 el CC, es válido y eficaz el acto de administración hecho por un comunero que sea conforme el interés de la mayoría (STS 6-3-1997).

Cabalmente y por lo mismo, habiéndose concedido al nombrado Presidente, Don Romeo, la representación de la Comunidad, su actuación al margen de la voluntad de la mayoría comportaría la extralimitación en el ejercicio de su mandato (arts. 1.714 y 1.719 y en el ámbito de la sociedad arts. 1.697 y 1.698 todos del CC), cuanto más si al hacerlo se enfrenta derechamente a la voluntad de su mandante y se considera el carácter revocable, en principio y como regla, del mandato (arts. 1.732 y 1.733 CC).

Como ya advertimos, a lo largo del proceso y en el recurso el recurrente mezcla la figura de la Comunidad, como con subjetividad propia, con la persona de Don Romeo como Comunero y, a la vez, Presidente y representante de la Comunidad.

Antes nos referimos a la Comunidad y a la persona de Don Romeo como Presidente y representante de ella, pero también se defiende la legitimación de la acción instada desde la consideración de un comunero que actúa en beneficio e interés de la Comunidad y sobre esto se ha de precisar que, si bien es cierto que la doctrina jurisprudencial declara la legitimación del comunero para actuar en interés y beneficio de la Comunidad sin necesidad de que conste el asentimiento de los demás comuneros (STS 14-3-1994, 8-10-1994 y 13-12-2006), esta regla se limita a los actos de administración (STS 8-5-2008) y decae, con consecuente falta de legitimación del accionante (apreciable de oficio STS 20-1 y 18-11-2000), si se conoce que actúa en contra de la voluntad de la mayoría de intereses, sin perjuicio de que, si considera perjudicial a su interés sobre la cosa común el parecer de la mayoría, podrá impetrar la intervención de los Tribunales (*ex* art. 398 CC), pareciendo necesario puntualizar que el carácter sumario del proceso de desahucio no lo hace apto para que, en su caso, el Tribunal del desahucio entre a decidir cuál es el interés que debe prevalecer entre los comuneros en un acto de administración.

Al fin lo que resulta de lo expuesto es que Don Romeo no podía actuar en nombre de la Comunidad accionando frente a al Sr. Edmundo al margen de la voluntad de Doña Consuelo y por eso que acierta la sentencia recurrida al desestimar la demanda por falta de legitimación, aunque más correctamente entendida como facultad para comparecer en juicio y ejercitar los derechos procesales (art. 7 LEC), pues quien acciona no es Don Romeo a título personal sino en representación de la Comunidad.

Caso 28

Resumen: Carece de legitimación el actor por no existir consenso entre los copropietarios para el ejercicio de la acción, sin que los pactos entre los condóminos respecto de la rehabilitación del edificio puedan esgrimirse frente a los arrendatarios.

Sentencia: AP Málaga, Sec. 4.ª, 84/2018, de 6 de febrero (SP/SENT/963461).

Argumentación jurídica: No puede acogerse que la sentencia recurrida carezca de motivación, que de existir acarrearía su nulidad, no solicitada por el recurrente, lo que priva al motivo de cualquier incidencia práctica en el resultado del recurso. No obstante, añadimos, citando la sentencia del Tribunal Constitucional 165/1999, de 27 de septiembre, que el deber de motivar las sentencias no faculta a las partes a exigir un razonamiento jurídico exhaustivo y pormenorizado de todos los aspectos y perspectivas que puedan tener de la cuestión que se decide, de modo que deben considerarse suficientemente motivadas las resoluciones judiciales que vengan apoyadas en argumentos que permitan conocer los criterios jurídicos esenciales en que se fundamenta la decisión.

El pronunciamiento que acoge la falta de legitimación del demandante está suficientemente explicitado en el fundamento de derecho segundo de la sentencia recurrida, anteriormente transcrito, con cita de una sentencia del Tribunal Supremo que es plenamente aplicable al supuesto controvertido, por lo que en realidad el motivo del recurso se encauzaría sobre la supuesta incongruencia en que incurriría el juzgador al rechazar en el acto del juicio la excepción procesal de falta de legitimación del demandante por extemporánea, para, en sentencia, estimarla con base en los razonamientos combatidos, pero tampoco dicho argumento es viable, pues tras el visionado del acto del juicio constatamos que, como alega el recurrente transcribiendo parcialmente la decisión del juzgador de instancia, el rechazo de la falta de legitimación activa lo es como excepción procesal, por extemporánea, añadiendo el juzgador que reclamar la renta es un acto que a priori parece beneficiosa para la comunidad de bienes, es decir, no entra en el fondo de la cuestión controvertida, que al analizarla en sentencia, tras valorar la prueba practicada, lo lleva a concluir que el demandante no está legitimado para el ejercicio de las acciones contenidas en la demanda, pronunciamiento que no puede tildarse de incongruente, pues como indica la sentencia del Tribunal Supremo de 27 de junio de 2007, la legitimación *ad causam* "consiste en una posición o condición objetiva en conexión con la relación material objeto del pleito que determina una aptitud para actuar en el mismo como parte; se trata de una cualidad de la persona para hallarse en la posición que fundamenta jurídicamente el reconocimiento de la pretensión que trata de ejercitar y exige una adecuación entre la titularidad jurídica afirmada (activa o pasiva) y el objeto jurídico pretendido, según las SSTS 31-3-97 y 28-12-01"; de modo que, "por su propia naturaleza y efectos, su falta puede ser apreciada de oficio (SSTS, 30 abril 2012, 13 diciembre 2006, 7 y 20 julio 2004, 20 octubre 2003, 16 mayo 2003, 10 octubre 2002 y 4 julio 2001) en cualquier momento del proceso", lo que legitima la decisión del juzgador.

El segundo de los motivos del recurso se articula sobre una errónea valoración de la prueba por el juzgador de instancia del anexo firmado por sus dos sobrinos al suscribir el contrato de arrendamiento sobre las viviendas NÚM001 y NÚM002 del inmueble que mantienen en régimen de comunidad, en el que ampliaban el período de carencia de pago de rentas difiriendo su inicio a la apertura del local, dadas las circunstancias imprevistas surgidas, anexo que califica como nulo de pleno derecho por carecer de su firma y no haberlo ratificado por no estar presente cuando se suscribió, desconociendo incluso su existencia, que deja al arbitrio de los arrendatarios el pago de las rentas.

Tampoco dicho motivo puede ser acogido, pues las cuestiones internas entre los condóminos, y en concreto el rechazo por el recurrente del anexo controvertido, no puede esgrimirse frente a los arrendatarios, que de buena fe lo suscribieron en la confianza del consenso de todos los propietarios, a lo que hemos de añadir que, como acreditan con los documentos aportados, están gestionando la rehabilitación del edificio, actualmente en ruinas, lo que les genera unos gastos en nada comparables con la renta pactada, y que en definitiva redundará en beneficio de la propiedad, ya que al finalizar el plazo de arriendo dispondrán de un edificio adaptado a la legislación urbanística y apto para su aprovechamiento sin desembolso alguno, pero en cualquier caso la cuestión no es esa, sino la discrepancia entre los condóminos sobre la gestión del inmueble, lo que impide concluir que, como manifestó el recurrente en su demanda, actúe en beneficio de la comunidad de bienes constituida con sus sobrinos, y ello sin perjuicio de que puedan solventar sus discrepancias y, en su caso, consensuar la decisión más beneficiosa para los intereses de esa comunidad, a los que no puede permanecer ajeno ninguno de sus miembros.

Por las razones expuestas, procede confirmar la sentencia dictada en la instancia.

Caso 29

Resumen: Un comunero no tiene legitimación para el ejercicio de la acción de desahucio por falta de pago, en nombre de la comunidad si no es [en] beneficio de ella.

Sentencia: AP Toledo, Sec. 1.ª, 150/2017, de 7 de junio (SP/SENT/910936).

Argumentación jurídica: En efecto, si en este caso se examina el escrito inicial vemos que en el mismo no se recoge el ejercicio de una acción que beneficie a todos los comuneros, por lo que se ha de concluir que los actores no actúan sino en su propio beneficio dado que la pretensión que se recoge es que por parte del demandado se entregue "la posesión del inmueble a mi representado". Esto supone que no se está solicitando la posesión para la comunidad, sino solo para los demandantes y de acuerdo con la doctrina del Tribunal Supremo un comunero no tiene legitimación para el ejercicio de acciones en nombre de la comunidad si no es beneficio de ella.

La sentencia 1275/2006 de13 de diciembre señala "Dado el carácter común de la repetida vivienda, es claro que la indemnización por los daños y perjuicios causados por la ocupación indebida por tercera persona, correspondería a la comunidad de bienes por lo que su exigencia en juicio habría ser hecha por ambos comuneros o por uno de ellos en beneficio de la comunidad.

En el presente caso, la indemnización de daños y perjuicios es pedida por el comunero don Teodoro, no en beneficio de la comunidad, sino para sí exclusivamente, como resulta de su demanda reconvencional, por lo que él mismo carece de legitimación activa para formular reconvención en los términos en que lo hace".

Con independencia, por tanto, de si los demandantes podían o no ejercitar una acción que beneficie a la comunidad cuando existe oposición del otro comunero, lo cierto es que en este caso la demanda estaba abocada al fracaso por la concreta petición que en la misma se contiene y que no reporta un beneficio para todos los comuneros sino solo para los actores que, además, de ese modo se arrogarían un derecho exclusivo a poseer del que carecen, lo cual aun admitiendo, a los meros efectos dialécticos, que se estimase que tienen legitimación para demandar, habría supuesto la desestimación de la pretensión.

Caso 30

Resumen: Se desestima el desahucio por impago de renta ante la falta de legitimación activa del copropietario demandante puesto que su cónyuge y cotitular manifestó en juicio no estar de acuerdo con el inicio de la acción judicial contra su hijo.

Sentencia: AP Ávila, Sec. 1.ª, 428/2016, de 20 de septiembre (SP/SENT/874195).

Argumentación jurídica: La doctrina jurisprudencial aplicable al caso ya ha sido expuesta en la resolución recurrida y de nuevo se vuelve a exponer aquí en el siguiente sentido: No es posible hablar de un litisconsorcio activo necesario, al no existir precepto que imponga a una persona la obligación de demandar. Lo que, por otro lado, resulta ahora expresamente declarado por el art. 12, que mientras que en su apartado 1 se refiere a la facultad ("podrán") de comparecer en juicio varias personas como demandantes, en el 2, por el contrario, expresa la obligación de hacerlo ("habrán de ser demandados") cuando la pretensión solo pueda hacerse efectiva frente a varios sujetos conjuntamente considerados (SAP Asturias, Sec. 6.ª, 7/2003, de 13-1). Según la jurisprudencia del Tribunal Supremo: 1.º) No pueden equipararse la situación de litisconsorcio activo con la de litisconsorcio pasivo. 2.º) Con carácter general el litisconsorcio activo es de carácter facultativo y no necesario supone, más que una falta de legitimación activa por falta de acción, una incompleta integración de la legitimación necesaria para ejercitar la acción y pretender lo que se pide. 4.º) Es una cuestión que tiene que ver con el fondo del asunto, aunque en puridad es preliminar al fondo, basada en razones jurídico materiales, y que debe resolverse como una cuestión previa pero en la sentencia (AP Zaragoza, Sec. 5.ª, 631/2005, de 18-11).

En el presente caso por mucho que manifieste el recurrente que actúa en beneficio de la comunidad ganancial ello no es cierto por cuanto ha quedado claramente probado que la esposa no está de acuerdo con la interposición de la demanda en contra de su hijo, por lo que se considera que no existe legitimación activa exigida por la norma.

Caso 31

Resumen: Falta de legitimación activa para instar resolución de arrendamiento ya que la vivienda pertenece a comunidad de bienes de la que la actora solo posee el 25 % constando la oposición al inicio de acciones judiciales del resto de propietarios.

Sentencia: AP Alicante, Sec. 5.ª, 21/2016, de 20 de enero (SP/SENT/859125).

Argumentación jurídica: Las circunstancias que concurren en este caso y recogidas en la sentencia recurrida son: la propiedad de la actora de la nave alquilada de un 25 %, la misma proporción que tiene el Sr Nicanor del que se encuentra separada de hecho desde octubre de 2014 y un 50 % pertenece al matrimonio formado por Don José Manuel y D.ª María Luisa, los copropietarios constituyeron el 7-11-1996 una CB denominada DIRECCIÓNOOO representada en el giro y tráfico de la empresa por D. Nicanor y D. José Manuel; a su vez los otros tres propietarios constituyeron la mercantil Rodríguez y Manresa S.L., figurando dicha sociedad como arrendataria y como arrendadora todos los propietarios en el contrato de alquiler suscrito en fecha 15-11-1996.

De estos hechos se desprende que la actora carece de legitimación activa para instar la resolución del contrato de arrendamiento litigioso al ser la propietaria de un 25 % y los otros tres propietarios que representan el 75 % no solo no han ejercitado la acción judicial que ha dado lugar al proceso, sino que se han opuesto expresamente al ejercicio de la acción de desahucio, sin que tenga relevancia a los efectos resolutorios del recurso las alegaciones referidas a la falta de consentimiento de la suscripción del contrato de 26 de marzo de 2006 aportado por la demandada (documento n.º 6) y en el que actuaron Nicanor y José Manuel el primero con poder mancomunado de la actora, sin perjuicio de que en su caso pueda solicitar la nulidad de dicho contrato o la extinción del condominio de la nave.

Por ello, como ya se ha expuesto por esta Sección en sentencia n.º 343 de fecha 14 de noviembre de 2007, que a su vez cita la de la Audiencia Provincial de Asturias (Sección 5.ª), en sentencia de 14 de septiembre de 2004, resolviendo un caso similar al que ahora nos ocupa, resulta claro que la actora no actúa en beneficio del resto de propietarios del objeto arrendado, por lo que no resulta al caso de aplicación la doctrina del Tribunal Supremo conforme a la cual un comunero puede demandar en beneficio de la comunidad de modo que a todos los partícipes alcanzan los efectos de la sentencia favorable (sentencias 3-03-1998 y 8-04-1992, entre otras), de manera que acreditado que la actora actúa exclusivamente en su propio nombre e interés, la misma, conforme a reiterada doctrina del Tribunal Supremo, expuesta entre otras, en la sentencia de 18-11-2000, carece de acción para pedir en aquel caso la resolución del contrato de compraventa y en el presente caso de arrendamiento, habiendo señalado el Tribunal Supremo en la sentencia citada que ello no era posible "sin intervención en el proceso de los demás copropietarios, dado que según el artículo 397 del Código Civil, las alteraciones en la cosa común han de ser consentidas por todos los condueños". Y en la sentencia de 20-12-1989 el Tribunal Supremo dijo: "Habida cuenta de la naturaleza de copropiedad por cuotas ideales o copropiedad romana en las que rige el principio de que *in pro indiviso non potest agere pro cuota*, existente sobre la finca arrendada, regulada en los arts. 392 y ss. del Código Civil, si, por un lado, se precisa a tenor del art. 397 del Código Civil el consentimiento de todos los partícipes o condóminos para alterar la cosa en común, y que según el art. 398 para la administración y mejor disfrute serán obligatorios los acuerdos de la mayoría de los partícipes, salvo que el acuerdo o actuación minoritaria o individual beneficie a los demás; por lo tanto es claro que cuando, como ocurre en el caso, la actuación contenciosa tendente a la extinción del "arrendamiento" del local auténtico acto de administración de uno de los condóminos se ha realizado con la oposición expresa del otro, será porque aquella no le beneficia, pues solo se rechaza en el mundo de los intereses aquello que perjudica, por lo que cede el factor presuntivo del beneficio que podría viabilizar una conducta unilateral". Finalmente el Tribunal Supremo en la sentencia de 20-07-2004 declaró: se trata de una falta de legitimación activa que tiene que ver con el fondo del asunto, aunque en puridad es preliminar al fondo, que en casos como el examinado no consiste en una total inadecuación entre la titularidad jurídica afirmada y el objeto jurídico pretendido, sino en una insuficiente integración de la parte demandante para pretender por sí sola ese objeto, de suerte que más que una falta de legitimación activa por falta de acción se da una incompleta integración de la legitimación necesaria para ejercitar la acción y pretender lo que se pide.

V. Para la reclamación de rentas

Caso 32

Resumen: Falta de legitimación activa, los inmuebles arrendados corresponden a una comunidad de bienes y el demandante actúa en su propio y exclusivo nombre, reclamando para sí la parte de las rentas a las que considera tiene derecho dentro de la comunidad.

Sentencia: AP Segovia, Sec. 1.ª, 150/2019, de 30 de abril (SP/SENT/1010721).

Argumentación jurídica: Se sostiene seguidamente que el demandado tendría reconocida la legitimación activa del actor fuera del pleito, pues según afirma la parte, ese reconocimiento vendría de obligarse solidariamente con la esposa al pago de las cantidades debidas del anterior contrato, entendiendo que ello supone ir en contra sus propios actos.

No existe ningún reconocimiento previo de la legitimación activa del actor para actuar en su propio nombre y derecho con postergación de la comunidad arrendadora. Los expositivos II y III del contrato describe la previa relación de la esposa del demandado, que no el demandado, con la comunidad, y la deuda reconocida judicialmente a favor del actor. Ninguna aceptación de lo que se alega por parte del demandado se deriva de estos expositivos. En la cláusula quinta se reconoce la obligación de la esposa del demandado de hacer unos determinados pagos, antes y durante el contrato y en los que se establece la obligación solidaria de su esposo, el demandado. Este hecho no supone aceptar que el actor esté legitimado como la parte pretende, simplemente supone el admitir la existencia de una deuda, que determinada judicialmente, es evidente que no puede ser discutida ni objeto de reconocimiento o de negación.

Por tanto tampoco existen actos propios, pues el pago en varias cuentas de haberse producido, como decimos no supone aceptar que los miembros de la comunidad puedan actuar de forma separada, como propietarios individuales.

Si el actor desea actuar de forma independiente de los demás comuneros lo que deberá hacer es proceder la partición o instar la división de la cosa común, pero en tanto ello no ser así, deberá actuar o en consuno con los otros comuneros, o si actúa en solitario en beneficio de la comunidad y no en el suyo propio.

Caso 33

Resumen: Improcedente reclamación de rentas devengadas con base en un derecho de propiedad pleno que el actor no adquirió hasta años después, estando hasta entonces en comunidad de bienes junto con su padre y su hermano demandado.

Sentencia: AP Madrid, Sec. 9.ª, 106/2018, de 27 de febrero (SP/SENT/956484).

Argumentación jurídica: De forma totalmente improcedente se está reclamando mediante demanda interpuesta en el año 2016 una cantidad por el importe de las rentas de alquiler durante seis años, a razón de 800 euros mensuales, sin especificar claramente el período temporal de que se trata, pretendiendo obviar con ello que tendría vedada la reclamación correspondiente al período anterior a la referida sentencia de 14 de mayo de 2012, en virtud de lo resuelto en la misma, con lo cual resulta imposible que temporalmente cuadre tal reclamación, cuando además parece que se está reclamando con base en un derecho de propiedad pleno y en realidad no es sino hasta el 2 de septiembre de 2015 en que se aprueban las operaciones particionales que el actor habría adquirido esa propiedad, estando hasta entonces en comunidad de bienes junto con su padre Don Cesáreo y su hermano precisamente ahora demandado, no pudiendo ni siquiera contemplarse una estimación parcial de la demanda por el período transcurrido desde esa última fecha por cuanto tampoco puede considerarse que exista prueba suficiente y válida que avale el hecho mismo del alquiler de la vivienda.

VI. Para la resolución del arrendamiento por causa de necesidad

Caso 34

Resumen: Falta de legitimación activa del comunero para instar la resolución de contrato de arrendamiento por necesidad de la vivienda al no contar con el consentimiento de la copropietaria que se expresamente se opone en cuanto hermana de la demandada.

Sentencia: AP Sevilla, Sec. 8.ª, 83/2019, de 21 de marzo (SP/SENT/1006281).

Argumentación jurídica: En consecuencia es procedente el examen de esta cuestión de legitimación activa sin que sea preciso entrar a valorar las demás planteadas si esa legitimación no concurriere. Y como señala la resolución recurrida se solicita la resolución contractual por el ahora apelante en su propio y exclusivo interés, sin que el demandante manifestase siquiera en la demanda actuar en beneficio e interés de la comunidad de bienes, y con la oposición expresa de la copropietaria también copropietaria y arrendadora, como corroboró al declarar como testigo en la vista.

Es tanto de aplicación la doctrina mantenida en la sentencia del Tribunal Supremo de 13 de julio de 2012 que en un caso similar al presente señala que es cierto que esa Sala ha declarado que cualquiera de los condóminos puede ejercitar acciones en beneficio de la comunidad (sentencias de 15 enero 1988, 21 junio y 18 diciembre 1989, 28 octubre y 13 diciembre 1991, 8 abril y 6 noviembre 1992 y 22 mayo 1993, 14 marzo 1994, 6 junio 1997 y 7 diciembre 1999), precisando, no obstante, que la sentencia que resulte desfavorable para esta no afecta negativamente al resto de los comuneros no litigantes, lo que limita decisivamente los efectos de la cosa juzgada. Pero el reconocimiento de tal legitimación excepcional se fundamenta en una presunción de aceptación y conformidad del resto de los comuneros que lógicamente se asienta en la previsión de una sentencia favorable a los intereses comunes, que sin embargo no puede extenderse a los supuestos en que el éxito de la acción ejercida - extinción de contrato de arrendamiento- no ha de suponer necesariamente un beneficio para la comunidad, máxime cuando, como ocurre en el caso presente, los copropietarios se han opuesto expresamente en el proceso a dicha extinción. En consecuencia, para demandar válidamente sería necesario un previo acuerdo entre los comuneros que habilitara a alguno de ellos para actuar en juicio o, en su caso, que tal actuación reuniera a la mayor parte de los intereses de la comunidad. En caso contrario, como nadie puede ser obligado a demandar, no cabe plantear la existencia de una situación de litisconsorcio activo necesario, porque como señala la sentencia núm. 989/2007, de 3 octubre también del Tribunal Supremo que cita la sentencia núm. 713/2007, de 27 junio, la figura doctrinal del litisconsorcio activo necesario no está prevista en la Ley y no puede equipararse al litisconsorcio pasivo necesario, impuesto en su acogimiento jurisprudencial incluso de oficio, ya que nadie puede ser obligado a litigar, ni solo, ni unido con otro, pero sí la de la falta de legitimación a que se refiere el artículo 10 de la Ley de Enjuiciamiento Civil al no resultar quien actúa titular "de la relación jurídica u objeto litigioso" en consideración a que la disponibilidad del sujeto demandante sobre el objeto de la demanda no puede ejercitarse sino en forma conjunta o mancomunada con otro sujeto, se traduciría en una falta de legitimación activa, que como tal carecería de un presupuesto preliminar a la consideración de fondo, pero basado en razones jurídico materiales".

Esta es la situación que se aprecia en el presente proceso en el cual ha figurado como parte demandante, y que actúa ahora como recurrente de la sentencia dictada en la primera instancia, quien por sí no estaba facultada para disponer de su objeto, lo que debe conducir a la desestimación del recurso de apelación interpuesto.

VII. Para la resolución del contrato de compraventa

Caso 35

Resumen: Para instar la resolución de una compraventa es necesario que todos los comuneros que intervinieron estén de acuerdo, sin que uno solo de ellos tenga legitimación para actuar en nombre de la comunidad, pues excede de un acto de administración.

Sentencia: AP Almería, Sec. 1.ª, 896/2019, de 18 de diciembre (SP/SENT/1046938).

Argumentación jurídica: Las pretensiones deducidas requerían la intervención como demandantes en el proceso de todos los que, en calidad de vendedores, intervinieron en el contrato, pues solo procediendo así cabe instar su resolución o, en su defecto, el pago del precio pendiente en beneficio de todos los vendedores y no a favor de solo alguno o algunos de ellos.

Solo la posible nulidad del contrato por ser contrario a la ley (art. 6 del C. Civil) permitiría apreciar la legitimación de un comunero a pesar de la oposición de uno de ellos. Este es el caso analizado en la sentencia de 21-11-2017. En concreto se dice: Establece el artículo 10 LEC que serán considerados partes legítimas quienes comparezcan y actúen en juicio como titulares de la relación jurídica u objeto litigioso. Esta sala, en sentencias núm. 989/2007, de 3 octubre, núm. 460/2012, de 13 julio, y 511/2015, de 22 septiembre, entre otras, ha afirmado "que la figura doctrinal del litisconsorcio activo necesario no está prevista en la Ley y no puede equipararse al litisconsorcio pasivo necesario, impuesto en su acogimiento jurisprudencial incluso de oficio, en defensa del principio de que nadie puede ser condenado sin ser oído. A lo que se añade que "a este efecto, como quiera que nadie puede ser obligado a litigar, ni solo, ni unido con otro, la consideración de que la disponibilidad del sujeto demandante sobre el objeto de la demanda no puede ejercitarse sino en forma conjunta o mancomunada con otro sujeto, se traduciría en una falta de legitimación activa, que como tal carecería de un presupuesto preliminar a la consideración de fondo, pero basado en razones jurídico-materiales, lo que debe conducir a una sentencia desestimatoria"".

Así ocurre en aquellos casos en que se actúa para la aplicación de normas de derecho dispositivo (como podría suponer la petición de resolución contractual, que requiere la intervención de todos los que compraron conjuntamente) pero no cuando se pretende la declaración de nulidad, radical e insubsanable, de un contrato por incurrir en alguna prohibición legal (artículo 6 CC) o por su carácter de absolutamente simulado, supuesto en que cualquiera de los intervinientes por sí solo puede instar la declaración de nulidad como también lo puede hacer un tercero.

En este caso la nulidad se postula con carácter absoluto e insubsanable por aplicación del artículo 24 de la Ley 19/1995, de 4 de julio, de Modernización de Explotaciones Agrarias que, en su dos primeros apartados, establece tal consecuencia para el caso de que se divida o segregue una finca rústica dando lugar a parcelas de extensión inferior a la unidad mínima de cultivo (sentencia de esta sala de núm. 173/2009 de 18 marzo)...".

De la jurisprudencia expuesta se deduce que existe una postura uniforme y constante del T. Supremo en este tema que conduce a la apreciación de una falta de legitimación activa, sin que se puedan apreciar divergencias significativas, a salvo alguna resolución como la referida sobre la posibilidad de instar la nulidad en casos de contratos contrarios a la ley o apreciar abuso de derecho en un caso de una cuota muy reducida, exigiéndose en todo los casos que estén presentes todas la partes implicadas en el contrato...".

Falta de legitimación de los actores para instar la resolución del contrato, al existir un 50 % de la comunidad que compró que se opone.

"... Esto es lo que ha ocurrido en este caso, en que las partes han instado una nulidad que en realidad era una anulación de un contrato que tuvo objeto pero que por circunstancias diversas este ha resultado en parte diferente y además el tiempo también lo ha devaluado, lo que sin duda ayuda a poner más el acento en esas diferencias. La consecuencia es que no podrá entrarse en el fondo del asunto por falta de legitimación de los actores, al existir un 50 % de la comunidad que compró oponiéndose a la resolución interesada, por lo que solo ya por estas razones el recurso de los vendedores no puede prosperar al existir un impedimento de falta de legitimación de los actores. Por ello la STS de 27 de mayo de 1997 cita a la de 20 junio 1994, que en su fundamento de derecho segundo afirmaba sobre esta particular cuestión: "En este sentido la jurisprudencia de esta Sala tiene declarado que la figura doctrinal del litisconsorcio activo necesario no está prevista en la Ley, y no puede equipararse al litisconsorcio pasivo necesario, impuesto en su acogimiento jurisprudencial incluso de oficio, en defensa del principio de que nadie puede ser condenado sin ser oído. Pero a este efecto, como quiera que nadie puede ser obligado a litigar, ni solo ni unido con otro, la consideración de que la disponibilidad del sujeto demandante sobre el objeto de la demanda, no puede ejercitarse sino en forma conjunta o mancomunada con otro sujeto, se traducirá en una falta de legitimación activa, que como tal carecería de un presupuesto preliminar a la consideración del fondo, pero basado en razones jurídico-materiales, lo que debe conducir a una sentencia desestimatoria, pero nunca a una apreciación de la inexistente, legal y jurisprudencial excepción de litisconsorcio activo necesario". La precedente exposición es lo suficientemente explícita, como para dejar resuelta esta cuestión".

Caso 36

Resumen: Falta de legitimación activa de la actora para instar la resolución de un contrato de compraventa de un terreno que pertenece en proindiviso a ella misma al 50 % y a los herederos de su marido en el resto, al no actuar en beneficio de la comunidad.

Sentencia: AP Córdoba, Sec. 1.ª, 754/2019, de 10 de octubre (SP/SENT/1032970).

Argumentación jurídica: La sentencia de primera instancia ha desestimado la demanda que, en exclusiva calidad de covendedora de un inmueble y en fecha 12 de enero de 2016, dedujo doña Joaquina frente a los compradores codemandados, concretamente su hija doña Leocadia y su esposo don Damaso, deduciendo como pedimento principal la resolución del contrato de compraventa de 25 de mayo de 2009 (contrato, reflejado en documento privado, que tenía por objeto una parcela de unos dos mil cien metros cuadrados de superficie en la que se encuentra una edificación de 75 metros cuadrados –en la que precisamente residen los codemandados–, que en la realidad constituye una separación de hecho de la finca matriz denominada Fuenreal Alto y que, tal y como deriva del informe del arquitecto del municipio de Almodóvar unido a los fols.104 y ss., presenta como características urbanísticas la de constituir "suelo no urbanizable, Zona A" que no es segregable registralmente por poseer una edificación y ser requisito para ello, el tratarse de una parcela mínima de 10 hectáreas; contrato de compraventa por un precio total de 42070,85 euros –de los cuales 12000 euros se afirman entregados a la firma del contrato y el resto con compromiso de pago con anterioridad al 8 de abril de 2014–) y como pedimentos subsidiarios, amén de la inmediata restitución de la posesión del inmueble "a su propietaria doña Joaquina", una indemnización por los daños y perjuicios causados a la demandante "que en principio se cifran en la cantidad total o parcial entregada a cuenta de 12.000 €, o a la que y en base a su facultad discrecional establezca el juzgador".

No comparte la demandante dicha desestimación de su demanda (desestimación fundada en su falta de legitimación activa para exigir la resolución del contrato por faltar su marido como firmante en su condición vendedor; en suma, tal y como termina expresando el último párrafo del fundamento segundo de la sentencia apelada, por cuanto "... la actora no tiene por si sola legitimación activa para pedir la resolución del contrato de compraventa de una finca que pertenece proindiviso a ella misma en el 50 % y a los herederos de su marido en el resto, entre los que se encontraría la codemandada doña Leocadia) y despliega un abigarrado discurso en cuyo desarrollo no consigue poner en cuestión los fundamentos que integran la ratio decidendi de la sentencia apelada, sino que omitiendo el significado y alcance de lo inicialmente indicado en la demanda (entre otros extremos, en lo relativo al pago parcial del precio) viene a introducir nuevas consideraciones de hipótesis de nulidad por simulación para finalmente introducir un párrafo de pretensiones que notablemente difieren de lo inicialmente pedido en la demanda (dense aquí por reproducidos al ser conocidos por las partes y por una elemental razón de economía procesal, los suplicos de la demanda y de este recurso de apelación)...".

... Que la legitimación es un requisito de la acción que se ejercita en el proceso (de ahí que se trate de una cuestión que afecta al fondo del asunto debatido en el juicio y traspase la frontera de las meras condiciones procesales para actuar en él; STS de 27 de junio de 2017), de modo que si bien la pertenencia del derecho es presupuesto esencial de la legitimación (STS de 9 de marzo de 2007) y dentro de esa modalidad de representación directa tiene cabida la que puede denominarse "legitimación compartida" que se corresponde con situaciones de titularidad múltiple del derecho material qué puede ser ejercitado por cualquiera de sus titulares, con independencia de los otros, lo que no procede obviar, tal y como la sentencia apelada viene a remarcar, es que ello será a condición de que la pretensión fundada en ese derecho repercuta favorablemente en todos ellos, lo que presupone una actuación en interés de la comunidad que en el caso de autos no se aprecia ya que claramente se actúa en exclusivo interés propio; lo cual, en definitiva, y dada la naturaleza del derecho que realmente subyace en el conflicto de intereses que mantiene las partes (y con afectación de otros terceros en su condición de herederos testamentarios que frente a las omisiones de la demanda terminó poniendo de manifiesto la documental antes mencionada), se traduce en la evaporación de la posibilidad de actuar en exclusiva la concreta pretensión deducida en la demanda.

Caso 37

Resumen: En la compraventa actuaron como compradoras dos sociedades que adquieren dos fincas en proindiviso formando una comunidad de bienes, careciendo de legitimación activa una sola de ellas para instar la resolución del contrato.

Sentencia: AP Cádiz, Jerez de la Frontera, Sec. 8.ª, 143/2019, de 9 de octubre (SP/SENT/1037665).

Argumentación jurídica: Nos encontramos con que las partes discrepan sobre si se vendió una única finca o se vendieron dos, y también discrepan sobre si se pactó un único precio para el conjunto de lo vendido o se estableció un precio para cada una de las fincas. Pero nos parece que el dato esencial para resolver el recurso es que las dos sociedades compradoras adquirieron ambas fincas "en proindiviso", de forma que ambas sociedades pasaron a ser propietarias de las dos fincas en esa situación de proindiviso, sin que se adjudicase ninguna parcela concreta a cada una de las sociedades. Ello implica que las dos fincas forman una comunidad de bienes, de la que la sociedad demandante ostenta la titularidad del 95 % mientras del restante 5 % es titular "Salobreñasol s.a.", que no ha sido ni demandante ni demandada en este procedimiento. Estamos de acuerdo con la sentencia recurrida en que esa situación hace que sea aplicable el artículo 397 del Código Civil, según el cual, "Ninguno de los condueños podrá, sin consentimiento de los demás, hacer alteraciones en la cosa común, aunque de ellas pudieran resultar ventajas para todos". La Sala de lo Civil del Tribunal Supremo explicó en Sentencia de 4 de marzo de 2013, (ROJ: STS 1519/2013), que "Las alteraciones materiales a que se refiere esta norma son aquellos actos que afectan a la sustancia de la cosa o modifican su destino, pues para los actos que van más allá de la administración y suponen una disposición o alteración de la cosa objeto de copropiedad es precisa la unanimidad de todos los condueños (STS de 7 de mayo de 2007, RC n.º 2347/2000). Solo son admisibles como válidos y eficaces los actos particulares de los comuneros, si no consta el asentimiento de los demás, cuando la actuación de aquellos redunda en claro provecho de la comunidad, pero no en el caso contrario, como en el supuesto de arrendamiento o enajenación de la cosa (SSTS 14 de diciembre de 1973, 19 de diciembre de 1985, 8 de julio de 1988, 25 de mayo de 1990, 23 de octubre de 1990, 30 de junio de 1993, 24 de julio de 1998, 13 de noviembre de 2001, RC n.º 3496/1999, 9 de octubre de 2008, RC n.º 3636/2001)". La resolución del contrato de compraventa de las dos fincas supondría un acto de disposición de las mismas, que dejarían de formar parte del patrimonio de las dos sociedades compradoras y volverían a poder de la vendedora. Por ello consideramos que tiene razón la sentencia recurrida cuando aprecia la falta de legitimación activa de la sociedad demandante, apoyándose para ello en numerosas sentencias, de las que consideramos especialmente ilustrativo lo razonado por la Sala de lo Civil del Tribunal Supremo en la Sentencia de 28 de diciembre de 2007, (Roj: STS 8704/2007): "Tal como esta Sala afirmó en su sentencia de 7 mayo 1999, reiterada por la de 10 octubre 2006, abordando un supuesto similar al ahora examinado "el presente procedimiento acusa un vicio legal de origen, del cual no se han apercibido las dos sentencias de instancia. De haberlo hecho, se hubiera desestimado la demanda sin entrar en el fondo del asunto. Tal vicio es la absoluta falta de acción de los actores para formular la demanda, pues por sí solos, estando ausentes del pleito las otras personas que firmaron como vendedoras el contrato de compraventa, por sí o representadas, carecen de acción para solicitar su resolución por incumplimiento (Sentencias de esta Sala de 27 de febrero de 1959, 28 de febrero de 1980 y 10 de noviembre de 1994). Este defecto de legitimación "ad causam" es estimable de oficio (Sentencia de esta Sala de 6 de mayo de 1995 y las que en ella se citan)". Efectivamente, las pretensiones deducidas requerían la intervención como demandantes en el proceso de todos los que, en calidad de vendedores, intervinieron en el contrato, pues solo procediendo así cabe instar su resolución o, en su defecto, el pago del precio pendiente en beneficio de todos los vendedores y no a favor de solo alguno o algunos de ellos. Se trata, como dice la sentencia de 20 julio 2004, de "una falta de legitimación activa que tiene que ver con el fondo del asunto, aunque en puridad es preliminar al fondo, que puede y debe ser apreciada de oficio aunque como tal no la hayan planteado las partes (SSTS 3-7-00, 4-7-01, 15-10-02, 10-10-02, 16-5-03 y 20-10- 03)". En igual sentido, la sentencia de 3 noviembre 2005, recuerda que "reiterada doctrina de esta Sala rechaza que, en rigor, sea necesario un litisconsorcio activo, ya que nadie puede ser obligado a demandar, de suerte que la denominada falta de litisconsorcio activo necesario es en realidad un defecto de legitimación activa "ad causam" o una legitimación incompleta de la misma naturaleza (SSTS 11-5-00; 5-12-00; 11 de abril 2003)". En consecuencia, el actor no estaba facultado por sí, y ni siquiera actuando también en representación de algunos de los vendedores que le habían conferido poder —lo que no se deduce de la formulación de la demanda— para solicitar la resolución o cumplimiento, en su beneficio, del contrato celebrado, pues para ello era necesario que figuraran en el lado activo del proceso como demandantes todos los vendedores en cuanto directamente interesados en su resultado. La falta de legitimación activa "ad causam", presupuesto preliminar del proceso susceptible de examen previo al de la cuestión de fondo que, además, debe apreciarse de oficio, conduce a la desestimación de la demanda". Sin que la conclusión deba cambiar porque la demandante en nuestro procedimiento, "Dulcinea 2015 Real Estate s.l.", ocupe la posición de compradora en el contrato de compraventa cuya resolución solicita.

Caso 38

Resumen: No ostenta legitimación activa el propietario del titular mayoritario del inmueble para solicitar la resolución del contrato cuando demanda sin consentimiento del resto de titulares y sin ostentar representación de los mismos.

Sentencia: AP Cádiz, Sec. 2.ª, 140/2017, de 16 de mayo (SP/SENT/912640).

Argumentación jurídica: Consideramos que el motivo de recurso debe ser estimado. Cierto es que la actora es titular registral del 77,77 % del pleno dominio de la finca vendida al demandado pero también lo es que no actúa en el procedimiento en representación de los restantes comuneros ni con el consentimiento expreso o tácito de los restantes titulares así como que la resolución del contrato que pretende no beneficia necesariamente a la comunidad o al menos a los restantes comuneros y ello en tanto que la resolución del contrato supone la obligación de restituir una cantidad de dinero, 17.028,74 euros, que la actora ofrece restituir al demandado pero que posteriormente podría reclamar a los restantes comuneros y sobre todo, la resolución del contrato priva a los comuneros de la posibilidad de percibir el resto del precio no abonado en la parte que a cada uno corresponda, 20.783 euros. Siendo así y conforme a una reiterada doctrina jurisprudencial que expresa que solo son admisibles como válidos y eficaces los actos particulares de los comuneros, si no consta el asentimiento de los demás, cuando la actuación de aquellos redunda en claro provecho de la comunidad, pero no en el caso contrario (STS 8/05/2008), consideramos que la actora carece de legitimación activa para ejercitar la acción de resolución del contrato de compraventa.

VIII. Para el desahucio por precario

Caso 39

Resumen: Falta de legitimación activa de un comunero para interponer el desahucio por precario al existir una comunidad de bienes sobre el inmueble litigioso y oponerse uno de los copropietarios que posee el 51 % de la propiedad.

Sentencia: AP Cádiz, Ceuta, Sec. 6.ª, 1/2020, de 30 de enero (SP/SENT/1048356).

Argumentación jurídica: Carencia de legitimación de la demandante para interesar el desahucio ante la oposición de la entidad que se presume condueña del inmueble: La base de la desestimación de la demanda se encuentra en que la hoy recurrente carecía de legitimación para ejercitar la "acción de desahucio por precario". Debiendo partir, como consecuencia de lo dispuesto en el artículo 38.parr.1.º de la Ley Hipotecaria, como se ha dicho, de la existencia de una comunidad de bienes sobre el inmueble, no cabe duda de que dicho razonamiento es correcto conforme con los artículos 394, 397 y 398 del Código Civil. Una pretensión de esa naturaleza suele resultar beneficiosa para la comunidad de por sí. Ahora bien, como actuación que sobrepasa las facultades de todo comunero, solo podrá ejercitarse por uno solo cuando, además de ello, no conste la oposición del resto, dado que, como regla, se trata de un acto de administración que requiere del acuerdo mayoritario de todos. En este caso, como puso de manifiesto la demandada con apoyo documental y es también es incontrovertido, Bulyba S.L. se opone frontalmente a la demanda, sin que ello puede entenderse una actuación abusiva proscrita por el artículo 7, también del Código Civil. Como tampoco se discute, esta última entidad es la titular del 51 % de las participaciones de la demandada, que desarrolla en el inmueble su actividad de televisión local.

Caso 40

Resumen: La oposición de la sociedad que ostenta el 50 % de la Comunidad impide aceptar que está legitimada para ejercer acción de desahucio por precario ya que no está actuando en beneficio de la sociedad.

Sentencia: AP Madrid, Sec. 14.ª, 371/2018, de 28 de noviembre (SP/SENT/994787).

Argumentación jurídica: La "Comunidad de Bienes DIRECCIÓN000 e Inmobiliaria Gutiérrez y Marín", de la que don Federico indica que es presidente con facultades para su representación, el señor Federico en su propio nombre y doña Salvadora presentaron demanda de desahucio por precario contra la sociedad INVERSIONES NARÓN 2003 S.L., indicando que la Comunidad de Bienes es titular de la explotación de los edificios.

Tampoco podemos sacar ninguna conclusión favorable a los intereses de los apelantes de la Junta General Extraordinaria de 17 de julio de 2017 de la Comunidad de Propietarios de los edificios destinados a apartamentos turísticos, ya que el documento aportado por el señor Federico no nos otorga la más mínima garantía y nos ofrecen unos resultados que son inexplicables pues si el administrador de la sociedad anónima INMOBILIARIA GUTIÉRREZ Y MARÍN, que ostenta el 50 % de la Comunidad de los edificios, votó en contra es evidente que la mitad no acepta el acuerdo y que no puede existir ningún tipo de mayoría.

A la vista de la oposición evidente manifestada por uno de los copropietarios que ostenta el 50 % de la propiedad es imposible que podamos aceptar que existe legitimación ya que no están actuando en beneficio de la sociedad.

IX. Para la acción de accesión

Caso 41

Resumen: Para ejercitar la acción de accesión por uno de los comuneros es necesaria la unanimidad de los condóminos y mientras que no se ejercite, concurre por un lado la propiedad de la obra y por otro, la propiedad del suelo.

Sentencia: AP Ourense, Sec. 1.ª, 307/2020, de 14 de julio (SP/SENT/1060394).

Argumentación jurídica: El ejercicio de las acciones derivadas del artículo 361 del Código civil exige que los comuneros actúen de consuno ya que conlleva una alteración de la cosa común. La tesis que predomina en la jurisprudencia es la del dominio separado. El derecho de opción que el artículo 361 del CC concede al dueño del terreno, se concibe como un derecho de modificación jurídica que en tanto no se ejercite da lugar a la concurrencia provisional de dos derechos de propiedad (el del dueño de la obra y el del dueño del suelo), ninguno de los dos goza de una situación de plenitud jurídica. Como consecuencia del ejercicio de la acción necesariamente se opera una modificación jurídica en la cosa común, bien porque se incorpora el terreno al haber comunitario, bien porque la construcción se incorpora al patrimonio del propietario del terreno quedando en consecuencia privada de su titularidad la comunidad postganancial. Al tratarse de un acto de modificación o disposición el artículo 397 del Código civil exige unanimidad de los condóminos. En consecuencia el actor carece por sí de legitimación suficiente para el ejercicio de las acciones del artículo 361 del Código Civil. Además, consta acreditada la oposición de la otra comunera, exesposa del actor, al ejercicio de la acción.

Lo expuesto hace innecesario entrar en el último motivo de apelación, ya que al carecer el actor de legitimación procede la estimación del recurso de apelación y la desestimación de la demanda.

X. Para reclamar cantidades entregadas anticipadamente en la construcción de la vivienda

Caso 42

Resumen: Hay falta de legitimación activa cuando solo uno de los compradores reclama a los bancos la devolución de las cantidades entregadas anticipadamente para la construcción de una vivienda porque no consta que actúe en beneficio de la comunidad.

Sentencia: AP Málaga, Sec. 5.ª, 464/2019, de 25 de julio (SP/SENT/1046485).

Argumentación jurídica: A la vista de las circunstancias del caso, la Sala considera que la concurrencia en la posición jurídica de compradores, de Don Horacio y Doña Felicidad en el contrato de compraventa de autos que tenía por objeto una suite en el complejo turístico Las Caballerizas, vivienda que afirma haber sido permutada por otra que no concreta, no puede configurarse como una comunidad ni presumirse su existencia como tal. No consta que los pagos de los anticipos hayan sido realizados desde cuentas conjuntas, así el primer documento aportado relativo a la reserva y arras penitenciales de fecha 01 de julio del 2004 aparece suscrito únicamente por Doña Felicidad, y abonadas por esta 2000,00 euros en efectivo, quien aparece como única firmante del contrato, si bien llama la atención que lo sea como reserva de la vivienda Letra D nivel Bloque F, vivienda que no coincide con la que luego es objeto de compraventa mediante contrato de fecha 28 de agosto del 2004 contrato en el que si aparecen ambos como compradores; el resto de pagos a que hace referencia el documento n.º 3 de la demanda son realizados desde la cuenta exclusiva de la Doña Felicidad, a cuentas de Aifos ascendiendo su informe a las cantidades de 27. 420,00 euros, sin que el Sr Horacio aparezca como cotitular al menos de la cuenta donde se cargaban dichos pagos, por lo que entendemos que no tiene legitimación activa para reclamar para si las cantidades abonadas asimismo por la Sra. Felicidad, hace ya más de 13 años, en virtud de un contrato suscrito por ambos no constando además la vinculación existente entre ellos, ni la relación que los une, ni la existencia de comunidad de bienes que en modo cabe presumir. Consta tan solo una adquisición conjunta de un inmueble sobre proyecto y que según se indica, por el propio actor, fue objeto de permuta, ignorando en qué condiciones, pues nada se ha probado al efecto, tan solo que se trata de otra promoción en otra localidad, llamando la atención que presente como prueba documento n.º 9, escrito de la administración concursal donde se aportan la documentación que obra en la contabilidad, apareciendo unos pagos exclusivamente a nombre de Horacio, por un total de 53.631,50 euros que en nada corresponde con la suma reclamada y que corresponde a la vivienda EDif Camelia, nivel 0 letra F Hacienda Casares. Todo ello nos lleva a reconocer que no consta acreditado que en el vínculo obligacional derivado de la suscripción del contrato de compraventa de vivienda una comunidad de objetivos, con interna conexión entre ellos, lo que justifica que no pueda la aplicación al caso de la doctrina jurisprudencial sobre la solidaridad tácita, que autoriza a unos de los compradores, aquí el Sr. Horacio, a pretender la frente a las entidades bancarias referidas las cantidades respectivamente ingresadas en Banco Popular o Banco para garantizar la devolución de las cantidades anticipadas por los compradores a cuenta del precio de la compraventa. No consta esta entrega conjunta y sin que pueden acogerse por esta Sala las alegaciones en relación con la existencia de una comunidad de bienes ya que dicha situación se da cuando la propiedad de una cosa o de un derecho pertenece por indiviso a varias personas (art. 392 CC) y ello no consta en el caso de autos. Sin que el hecho de que D. Horacio y Doña Felicidad ambos con domicilio en Edif I.º Blanca Paloma Fuengirola —como se desprende de la escritura de poder aportada en autos—, que hayan suscrito conjuntamente el contrato privado de compraventa e incluso que las entregas de cantidades para la adquisición de dicha vivienda también se haya hecho de forma conjunta, no suponen una comunidad de bienes. Por la mera suscripción del contrato no pueden adquirirse inmediatamente derechos en común, porque del contrato no nacen derechos comunes, sino al contrario derechos y obligaciones de unos frente a otros (art. 1.254 CC) y además en el caso presente no consta siquiera la titularidad de la cuenta desde la que se hacen las transferencias.

Por consiguiente siendo patente la falta de legitimación activa de DON Horacio para instar por sí la devolución de las cantidades que se afirman entregadas anticipadamente por ambos compradores, por no constar en modo alguno que actúe en beneficio de la comunidad, procede estimar el motivo de impugnación alegado, sin que sea necesario, por consiguiente, entrar a resolver sobre la impugnación formulada contra la estimación de la excepción de falta de legitimación pasiva acogida en la sentencia y planteada por la representación procesal de la entidad Banco Popular de España, a la que se adhirió codemandada ni en lo hace referencia a la impugnación de contrario, al no sr procedente en el resto de las cuestiones planteadas.

XI. Para la suspensión de obra nueva

Caso 43

Resumen: Falta de acreditación por el actor de ser el titular, ni de forma total ni parcial, de la finca sobre la que está construyendo la demanda, lo que impide la estimación de la suspensión de la obra nueva

Sentencia: AP Las Palmas, Sec. 5.ª, 2/2019, de 2 de enero (SP/SENT/1010509)

Argumentación jurídica: La desestimación de la demanda por falta de legitimación activa, se produce en cuanto título del actor resulta claramente insuficiente no justificando en modo alguno la titularidad de la finca sobre la que construye la demandada, ni en todo ni en parte. Y es que, sorprende que se afirme (por cierto en el escrito de denuncia que presentó ante el Juzgado de Guardia de Arrecife que sirve de base argumental a la demanda en la que, insistimos, nada se expresa) tras reconocer que la finca litigiosa forma parte de la registral 517, que no se olvide está inscrita a favor de don Joaquín, que el título del actor trae causa en la escritura de Herencia de doña Josefina (que fue la primera esposa de don Joaquín) de fecha 31 de enero de 1936, que no se acompaña, cuando sin embargo el titular catastral (el referido marido) falleció un año más tarde, el 28 de enero de 1937 (en estado de casado en segundas nupcias con doña Amalia; *vide* certificación de defunción adjuntada a la contestación a la demanda como documento n.º 8; folio 196 de las actuaciones) y sin que se haya aportado tampoco escritura de liquidación de la sociedad de gananciales formada entre ambos y en la que eventualmente se le adjudicara a los herederos de la esposa la finca que el actor considera de su (co)propiedad.

En suma, el actor no ha justificado el tracto preciso para poder ser considerado copropietario, ni en todo ni en parte, de la finca sobre la que la entidad demandada está ejecutando la obra nueva.

Tampoco ha justificado ser poseedor de dicha finca por más que haya emprendido acciones judiciales de diversa índole intentando proteger los derechos dominicales que afirma a él pertenecen. La posesión, como hecho, evidentemente la ostenta actualmente la entidad demandada que está procediendo a la construcción, no pudiéndose reconocer en dos personalidades distintas (art. 445 CC) cuando el actor no ha justificado un despojo posesorio ni, en fin como ya se ha dicho, ninguna otra titularidad que le otorgue derecho a poseer.

XII. Para la reclamación de nulidad del contrato hipotecario

Caso 44

Resumen: Cuando se pretende como efecto de la nulidad de los contratos hipotecarios la entrega la vivienda para saldar la deuda, no se puede ejercitar esa acción si no es con el concurso del otro copropietario del inmueble y codeudor hipotecario.

Sentencia: AP Madrid, Sec. 10.ª, 69/2017, de 13 de febrero (SP/SENT/900096).

Argumentación jurídica: La jurisprudencia viene admitiendo, no solo en supuestos de comunidad de bienes y en caso de cónyuges, que, en el caso de que en la misma posición del demandante existieran otras personas, se puedan ejercitar las acciones judiciales por una sola de ellas si los efectos pueden beneficiar a los demás titulares de la relación jurídica. Así se ha venido admitiendo en casos que se pretendía la nulidad de una cláusula de un contrato que se consideraba abusiva, cuando la nulidad beneficiaba indudablemente y en todo caso a otras personas que no eran parte en el procedimiento entablado por una sola de ellas.

Sin embargo en el caso enjuiciado lo que se pretende como efecto de la nulidad de los contratos es que se entregue al banco el inmueble hipotecado quedando con ello saldada la deuda. En este caso no cabe duda que la actora no puede ejercitar esa acción si no es con el concurso del otro copropietario del inmueble y codeudor hipotecario, bien en la posición de demandante o bien como demandado. Ello es así por dos razones fundamentales, primera porque la consecuencia que pretende la demandante (dación en pago), no está prevista en el contrato, ni en nuestro ordenamiento jurídico, por cuanto los efectos de la nulidad por fraude de ley y abuso de derecho vienen previstos en el artículo 1.303 del Código Civil: "Declarada la nulidad de una obligación, los contratantes deben restituirse recíprocamente las cosas que hubiesen sido materia del contrato, con sus frutos, y el precio con los intereses".

XIII. Por oposición del otro copropietario o en contra de los intereses de la mayoría

Caso 45

Resumen: Un condueño no puede ejercitar ninguna acción judicial relativa al bien aunque sea para beneficio del condominio cuando hay oposición expresa para ello del otro copropietario.

Sentencia; AP Pontevedra, Sec. 1.ª, 295/2014, de 30 de julio (SP/SENT/776636).

Argumentación jurídica: Es sabido que el TS desde la sentencia de 8.4.1965 (e incluso en sentencias más antiguas, si se atiende a la cita de la STS de 7.2.1981) viene entendiendo que cualquiera de los condueños de una propiedad compartida puede comparecer en juicio en asuntos que afecten a la comunidad, bien para ejercitarlos, bien para defenderlos, al entenderse que quien así actúa lo hace en beneficio del conjunto. De esta suerte, una eventual sentencia favorable aprovechará a todos, mientras que una sentencia perjudicial solo afectará al actor exclusivo.

Hasta tal punto se han entendido así las cosas, que es bien cierto, –como apunta el recurrente–, que la jurisprudencia ni siquiera exige que en la demanda se invoque expresamente esa actuación en beneficio del conjunto (así lo recordaba la sentencia del TS 21.12.2006, con abundante cita jurisprudencial), si puede entenderse que su ejercicio es susceptible de beneficiar al condominio, a salvo, claro está, que se demuestre que se actúa de forma exclusiva, en beneficio exclusivo del actor (cfr. SSTS 3.3.1998, 8.7.2011) o se cuente con la oposición del resto de copropietarios (STS 14.5.2007).

En efecto, la eficacia general de esta doctrina se ha matizado en el sentido de considerar que tal legitimación no opera cuando alguno de los comuneros se opone, expresa o tácitamente a su ejercicio. Y en el presente caso consta por medio de la presentación de un escrito de contestación ante de ser expulsada del proceso, que Caja España o la entidad que la sustituye tras las sucesivas modificaciones estructurales sufridas, se oponía expresamente al ejercicio de la acción por parte de la demandante. No de otra forma pueden interpretarse los argumentos del escrito de oposición presentado en su momento.

Así se expuso en el acto de la audiencia convocada en fase de apelación. Además se afirmó, –si bien tal hecho no se justificó adecuadamente–, que durante el proceso había habido transmisiones sucesivas de los activos de la entidad financiera que podrían afectar a la titularidad sobre unos pisos y locales que, además, se encontraban divididos ya horizontalmente. Tal situación no habría de afectar al resultado del pleito, –atendiendo al principio de la *perpetuatio legitimationis*–, pero ello nos reafirma en la consideración de que el derecho por el todo, "de una sola vez" no podía ejercitarse sin la presencia de todos los propietarios o, al menos, con la conformidad de los intereses mayoritarios.

Esto es exactamente lo que nos parece que acontece en este supuesto. No se está ante una situación en la que la Sala pudiera acordar la llamada obligatoria al proceso de Caja España o la correspondiente entidad sucesora, ni cabe dictar una sentencia *secundum eventum litis*. No están en juego los fines del instituto del litisconsorcio pasivo. Lo que sucede es que ambos demandantes deberían litigar conjuntamente, o al menos sin que el mayoritario en la comunidad se opusiera de forma expresa. Como esto no ha sido así, la demandante carecía de legitimación para entablar en soledad la demanda que dio origen al presente litigio. Y esta falta de legitimación activa debe traducirse en un forzado pronunciamiento desestimatorio.

Caso 46

Resumen: Si bien es cierto que los demandados, como comuneros, tiene legitimación para plantear la acción, esta no puede prosperar pues no queda claro que sea en beneficio de la comunidad al ir en contra de los intereses de la comunera mayoritaria.

Sentencia: AP Palencia, Sec. 1.ª, 284/2010, de 19 de octubre (SP/SENT/534661).

Argumentación jurídica: Con la anterior y necesaria premisa que aclara la cuestión que se plantea, nos introducimos en la cuestión de si en un caso como el presente, en que la prueba practicada indica una situación de la que resulta que los ahora actores, aunque miembros de la comunidad en cuyo beneficio dicen actuar, no son mayoría en las participaciones en dicha comunidad, y además la comunera mayoritaria expresamente se ha opuesto al ejercicio de la acción de desahucio —pues así lo ha manifestado en este procedimiento y llegó a desistir de otro anterior con el mismo objeto—, ello supone una "insuficiente integración" de la parte demandante para pretender por si sola el objeto del pleito y en consecuencia ejercitar la acción que ha ejercitado, y la respuesta que a ello ha de darse es positiva. Es muy reiterada la jurisprudencia del Tribunal Supremo que admite el ejercicio de acción por un comunero cuando actúa en beneficio de la comunidad, pero cuando existe oposición expresa de otro comunero, aquel que pretende el ejercicio de la acción no ostenta por si derecho para ello, pues antes habrá de resolverse sobre la cuestión previa, relativa a si en efecto el ejercicio de la acción supone un beneficio para la comunidad o no, argumento que debe de complementarse en el caso con el hecho de que la que se opone a dicho ejercicio es la comunera mayoritaria, entrando a operar en consecuencia el art. 397 del Código Civil, en relación con el art. 398 del mismo cuerpo legal, relativos a la posibilidad de alteración de cosa común y a la administración de dicha cosa, artículos que inhabilitan a los actores para el ejercicio de la acción con éxito, sin que por ello sea preciso el estudio del potencial beneficio a favor de la comunidad que se pretenden por los actores.

Es decir, el Tribunal Supremo llega a la conclusión indubitada expuesta antes de la cita de jurisprudencia del Tribunal Supremo, esto es si en el caso de ejercicio de acción por uno de los comuneros no consta de forma de expresa la oposición de otros, se presume que es beneficiosa para la comunidad, más si tal oposición consta, ha de tenerse en cuenta el potencial beneficio y cuando la oposición sea de la mayoría el artículo 397 del Código Civil que requiere el consentimiento de todos los partícipes de condominio para la alteración de la cosa en común, y el 398 del mismo texto, que dice que para la administración y mejor disfrute, serán obligatorios los acuerdos de la mayoría de los partícipes, por lo que cuando la actuación contenciosa tiende a la extinción del arrendamiento, como en el presente caso ocurre, de una industria concreta, ello que es un auténtico acto de administración de dos de los condóminos, pero que se ha realizado con la oposición expresa de otro comunero, además mayoritario, cede al factor presuntivo del beneficio que podía viabilizar esa conducta unilateral.

En razón de lo anterior, y sin necesidad de estudiar las consideraciones que se hacen relativas a la ejecución de mejoras por parte de la entidad codemandada, ejecución que en principio habilitaría la prórroga del arrendamiento, prórroga que se pretende negar; es por lo que el motivo del recurso se va a desestimar.

XIV. Por no actuar en beneficio de la comunidad

Caso 47

Resumen: Ambos litigantes no se encuentran legitimados para ejercitar acciones en defensa de la propiedad común, al ser evidente que no actúan en beneficio de la comunidad, sino en su propio interés.

Sentencia: AP Guipúzcoa, Sec. 2.ª, 161/2010, de 31 de mayo (SP/SENT/768234).

Argumentación jurídica: Sentado lo anterior, el primer tema a resolver es el relativo a la existencia de legitimación por parte del actor-reconvenido y del demandado-reconviniente para el ejercicio de las acciones que ejercitan.

A este respecto, la STS de 8 de abril de 1965 señalaba que la doctrina legal que faculta a un solo condueño para actuar, sin acuerdo o autorización de los demás, en beneficio de la comunidad, es excepcional y como tal ha de ser aplicada en sentido restrictivo, hasta el punto de que si alguno de los partícipes se opone a tal actuación, bien desautorizando al accionante de un modo explícito o afirmando lo contrario de lo sostenido por aquel, no puede considerársele legitimado para actuar, porque tal oposición revela que hay sobre la materia discutida criterios dispares, y hasta que estas diferencias no desaparezcan no puede conocerse con certeza, cual sea el criterio más beneficioso para la comunidad, única forma que permite actuar o defenderse sin tener la representación de los demás condueños.

Por su parte, la STS de 20 de diciembre de 1989 declara que "si bien cualquiera de los partícipes puede comparecer enjuicio en asuntos que afecten a la comunidad ya para ejercitarlos, ya para defenderlos, en cuyo caso la sentencia dictada en su favor aprovechará a sus compañeros, sin embargo, ello no es posible si la acción se ejercita en el propio nombre de un comunero sin citar a los demás condueños, que, es cabalmente, lo acontecido en este litigio, pues, asimismo, deviene evidente, conforme a la línea jurisprudencial que se cita en el motivo, que habida cuenta de la naturaleza de copropiedad por cuotas ideales o "Copropietas" romana (en la que rige, entre otros, el principio procesal de quo in pro indiviso non potest agere pro cuota) existente sobre la finca arrendada, regulada pues art. 392 y siguientes. del Código Civil, si, por un lado, se precisa a tenor del art. 397 el consentimiento de todos los partícipes o condóminos para alterar la cosa en común y que según el art. 398 para la administración y mejor disfrute serán obligatorios los acuerdos de la mayoría de los partícipes, salvo, según aquella interpretación judicial, que el acuerdo o actuación minoritaria o individual beneficie a los demás, es claro y no necesita de mayor razonamiento que cuando, como ocurre en autos, la actuación contenciosa tendente a la extinción del arrendamiento de dicha finca —es un auténtico acto de administración de uno de los condóminos— se ha realizado con la oposición expresa del otro, será porque aquella no le beneficia —solo se rechaza en el mundo de los intereses aquello que perjudica—, por lo que cede, en consecuencia, el factor presuntivo del beneficio que podría viabilizar esa conducta unilateral".

En el caso de autos, ambos litigantes, en su condición de propietarios en proindiviso de las antepuertas, ejercitan acciones en defensa de la propiedad común con trascendencia jurídica para la misma, no solo sin contar con el consentimiento del otro, tal y como exige el art. 397 C.C., sino manteniendo posturas totalmente contrarias, siendo evidente que su actuación no viene guiada por el beneficio de la Comunidad, sino por el interés propio.

Por todo lo cual, procede estimar parcialmente el recurso de apelación interpuesto pero por motivos distintos a los aducidos por la parte recurrente, lo que comporta que se desestime íntegramente tanto la demanda principal como la demanda reconvencional.

Concursal

I. Para el ejercicio de la acción de responsabilidad frente a los administradores concursales y no ser el propio concursado o un acreedor

Caso 48

Resumen: El TRLC no concede legitimación a los socios de la mercantil para ejercitar la acción de responsabilidad frente a los AC, sino solo a los acreedores y al propio concursado; hay falta de legitimación activa.

Sentencia: AP Zaragoza, Sec. 5.ª, 976/2022, de 11 de noviembre. Recurso 225/2022 (SP/SENT/1167852).

Argumentación jurídica: Muestra su desacuerdo el recurrente con la sentencia de instancia al aceptar la falta de legitimación activa. Mantiene, de un lado, que la inhabilitación del Sr. Nicolas para administrar o representar bienes ajenos y a cualquier persona durante un plazo de 8 años acordada en la Sentencia de calificación, no le inhabilita y priva para representarse a sí mismo y a sus propios bienes, como es el caso de la mercantil concursada TUDECO de la cual el Sr. Nicolas es único dueño y propietario, y de otro, la condena a pagar la cantidad que los acreedores concursales y contra la masa no perciban en la liquidación de la masa activa convierte ipso facto al Sr. Nicolas en concursado, lo que viene corroborado por el procedimiento de ejecución de títulos judiciales n.º 191/2015.

La sentencia de calificación inhabilitó al Sr. Nicolas para administrar bienes ajenos y para representar o administrar a cualquier persona, por lo que, obviamente, puede representarse a sí mismo en defensa de lo que crea oportuno. Pero ocurre que ejercita una acción de responsabilidad frente a la administración concursal, y como hemos señalado, el art. 94 TRLC otorga legitimación al concursado y a los acreedores.

El hecho de que el Sr. Nicolas sea socio mayoritario de la sociedad concursada, a través de otras dos sociedades de las que también era socio mayoritario (FABLE TRADE 2001, S.L. y CLASINER KING, S.L.). no lo convierte ni en lo uno ni en lo otro. El art. 94 TRLC no concede legitimación a los socios de la mercantil para ejercitar la acción de responsabilidad frente a los administradores concursales sino solo al concursado y a los acreedores. Si el recurrente está pensando en la legitimación que concede el art. 98 a los terceros por actos u omisiones de los administradores que lesionen sus intereses, ya hemos dicho que esta acción no se ejercita.

Tampoco el hecho de que la sentencia de calificación haya condenado al Sr. Nicolas a pagar la cantidad que los acreedores concursales y contra la masa no perciban en la liquidación de la masa activa lo convierte en concursado, pues dicha cualidad solo se adquiere con la declaración de concurso del deudor. En el caso de autos el concursado es Tudela de Construcción SA y no el Sr. Nicolas, por mucho que sea el "dueño" de TUDECO. No hará falta recordar que se trata de dos personas, jurídica una y física otra, que tienen distinta e independiente personalidad jurídica.

A mayor abundamiento, debe decirse que, cuando el art. 94 TRLC concede legitimación al concursado, no se refiere a cualquier concursado sino a aquel que es objeto del procedimiento, es decir, aquel donde los administradores concursales demandados han intervenido causado los daños y perjuicios que se les imputa.

En definitiva, compartimos la opinión de la sentencia de instancia en cuanto señala que el Sr. Nicolas carece de legitimación, pues "carece de representación de la concursada y además, por la sentencia firme de calificación, no es acreedor de crédito alguno"...".

II. Para el ejercicio de las acciones rescisorias y otras de impugnación queda limitada al administrador concursal

Caso 49

Resumen: En lo relativo a la rescisión del contrato outsourcing, de 2 de febrero de 2017, así como los negocios jurídicos derivados, concurre falta de legitimación activa; el ejercicio de tales acciones corresponde principalmente a la AC.

Sentencia: AP Murcia, Sec. 4.ª, 1104/2022, de 10 de noviembre Recurso 1979/2021 (SP/SENT/1167876).

Argumentación jurídica: El TRLC mantiene que la legitimación activa para el ejercicio de las acciones rescisorias y demás de impugnación corresponderá a la administración concursal (arts. 231 y 232 en relación con el art 238.2, anteriores arts. 72.1 y 71.6 LC).

En la STS de 26.5.2020 se explica la razón de ser de esta restricción legal de la legitimación: esta legitimación originaria de la administración concursal se justifica porque con la declaración de concurso, asume la representación de los intereses patrimoniales del concurso y de los acreedores.

También están legitimados activamente los acreedores, pero de forma subsidiaria, al estar sujetos a los siguientes requisitos: (i) que hayan instado por escrito de la administración concursal el ejercicio de alguna acción rescisoria, identificando el acto concreto que se trate de rescindir y el fundamento de la rescisión, y (ii) que la administración concursal no lo hiciere dentro de los dos meses siguientes al requerimiento.

4. Lleva razón el juez a quo al indicar que la legitimación prevista en el art 232 TRLC es una cuestión de orden público, añadimos nosotros, verificable de oficio, como recuerda la STS 691/2021, de 11 octubre, con abundante cita jurisprudencial y en concreto con la sentencia 603/2021 de 14 de septiembre según la "no solo ha admitido la apreciación de oficio de la falta de legitimación, sino que la ha impuesto por constituir la legitimación una condición jurídica de orden público procesal (sentencias de 30 de junio de 1999, 4 de julio

y 31 de diciembre de 2001, 10 y 15 de octubre de 2002, 20 de octubre de 2003, 23 de diciembre de 2005, y 970/2007, de 18 de septiembre)".

5.Pero lo que no compartimos es la lectura laxa que hace del requerimiento efectuado aportado como doc. n.º 2 de la demanda. Literalmente dice:

"Se encuentran reunidos a petición de la mercantil SERVILANT GESTIÓN YH SERVICIOS S.L., a los efectos de poner en su conocimiento el interés de dicha mercantil, de conformidad a lo dispuesto en el art. 72 de la Ley Concursal, de instar la acción judicial de rescisión de fraude de la escritura pública de 2 de noviembre de 2017, de ampliación de capital de PORKYTRANS S.L., autorizada por el Notario D. Antonio Luis Reina Giménez, número de protocolo 871.

El fundamento para el ejercicio de dicha acción según detalla el letrado de SERVILANT es el siguiente:

La escritura pública de aumento de capital se aprecia fraude de acreedores, conforme al art. 1.111 del CC en relación con el 1.291. Se dispuso mediante la aportación a PORKYTRANS S.L. de todos los bienes inmuebles de Transportes Argos S.L., sin tener posibilidad de atender el pago de las deudas.

Y de conformidad al informe de la propia administración concursal, la contraprestación a percibir por el contrato de outsourcing no se está produciendo. La mercantil concurso carece de ingresos a tenor de dicho informe.

Se ha procedido a una despatrimonialización de sociedad".

Es evidente que el acto concreto cuya impugnación se pedía era solo de la ampliación de capital de PORKYTRANS (en realidad, la asunción de participaciones con aportación de inmuebles), y que, como dice certeramente la apelante, la referencia al contrato de outsourcing es para indicar la ausencia de beneficios derivados del mismo a los únicos efectos de abundar en el perjuicio como requisito de la acción pauliana pretendida sobre la ampliación de capital, sin que se mencionara, ni por conexión, a este contrato como objeto de la acción.

6. La consecuencia de ello es que debemos apreciar la falta de legitimación activa de la actora, y, en consecuencia dejar sin efecto la ineficacia de ese contrato de servicios, y de su extensión a "todos los negocios jurídicos habidos con ocasión de dicho contrato" respecto de la que, en todo caso, adolece la sentencia de incongruencia interna, y que resultaría improcedente por tratarse de un pronunciamiento indeterminado, sin identificación de a qué actos o contratos se refiere y por ende por qué resultan rescindibles. Tampoco se explica por qué si el contrato no es nulo, no se ejercita la acción para exigir su cumplimiento o la resolución y liquidación...".

Defensa jurídica

Por no existir relación jurídica entre el asegurado y el letrado al que se exige responsabilidad al haber actuado este por derivación la aseguradora

Caso 50

Resumen: Falta de legitimación activa para reclamar por negligencia de la letrada, ya que se ha ocupado de la defensa jurídica ante el Ayuntamiento por mandato de la aseguradora, y por tanto, sin relación contractual con el asegurado.

Sentencia: AP Madrid, Sec. 10.ª, 10/2018, de 15 de enero. Recurso 997/2017 (SP/SENT/944595).

Argumentación jurídica: En el caso objeto del presente procedimiento, no se ha aportado la póliza de seguro del hogar que la actora dice haber suscrito con DKV, ni documento contractual entre DAS y la demandada, ni el protocolo de actuación que regía la relación profesional entre DAS y los Letrados a los que encargaba la defensa jurídica, pese a la facilidad probatoria que tenía la actora para aportar la póliza y la demandada para aportar su contrato con DAS y el protocolo de actuación mencionado constantemente por ella y la testigo. Todos esos documentos serían precisos para conocer la posible relación contractual entre las partes. No obstante, tal y como se indica en la sentencia de instancia, no se ha negado por las litigantes la existencia de póliza de seguro del hogar entre la actora y DKV y que la misma tenía dentro de cobertura la defensa jurídica. Pero no compartimos la argumentación contenida en la sentencia para desestimar la excepción de falta de legitimación pasiva, que se reproduce en el recurso.

En la sentencia apelada se tiene en cuenta que la demandada reconoció en el juicio la realidad del encargo profesional y ello junto con la existencia de contactos entre las partes vía e-mail y la intervención activa de esta en la reclamación ante el Ayuntamiento de Fuenlabrada, que lleva a cabo en su condición profesional de Letrada y en defensa de los intereses de la actora, le lleva a considerar que está acreditada la relación de arrendamiento de servicios entre las litigantes, pese a no existir contrato ni hoja de encargo. Ciertamente, no es preciso que exista contrato escrito (art. 1.278 del Código Civil), pero sí es preciso que exista un acuerdo de voluntades en los términos exigidos por los arts. 1.254 y ss. del Código Civil. Debemos tener en cuenta que, el contrato de arrendamiento es de naturaleza consensual porque se perfecciona por el consentimiento y es bilateral porque produce derechos y obligaciones recíprocas, caracterizándose el contrato de arrendamiento de servicios, en su esencia, por la promesa que hace una parte de prestar su actividad profesional, y la otra promete una remuneración de cualquier clase. No existe contrato si la actora no encargó a la demandada la defensa jurídica de su reclamación y le abona dichos servicios.

Además, es principio general de Derecho, proclamado por el art. 217-2.º y 3.º de la vigente LEC, que incumbe la prueba de una obligación al que reclama su cumplimiento, así como la de su extinción al que la opone, tratándose de un principio de justicia que tan aplicable es al actor como al demandado, imponiéndoles, respectivamente, la obligación de probar los hechos que sirvan de base a las alegaciones de cada uno de las que nazcan el derecho en que consiste la acción o del que se deduzcan las excepciones opuestas.

Ninguna prueba ha practicado la actora que acredite la relación contractual con la demandada. Esta se ha ocupado de su defensa jurídica en la reclamación ante el Ayuntamiento de Fuenlabrada y lo ha realizado por encargo de DAS. La propia sentencia considera que existe entre las partes un contrato de arrendamiento de servicios, pero añade, "por derivación de DKV y, en su caso de DAS". La actora no ha acreditado, como le incumbía (art. 217-2 de la LEC), la existencia de un encargo profesional a la demandada. La propia actora ha manifestado en el juicio que se puso en contacto con la aseguradora DKV, con la que tenía un seguro del hogar y que dicha mercantil le remitió a la Sra. Covadonga, es decir, ni siquiera pudo designar Letrado sino que fue la propia aseguradora la que lo hizo. La relación contractual existió entre la demandante y DKV, nunca con la demandada.

Sobre esta cuestión ya se ha pronunciado esta Sala en la reciente sentencia de fecha 17 de mayo de 2017. En dicha resolución, en la que se resolvía sobre una reclamación por negligencia profesional de un Abogado designado por una compañía de seguros, se consideró por esta Sala que la culpa contractual nacía de la relación entre la entidad aseguradora y el asegurado en virtud del seguro de defensa jurídica, contemplado en los artículos 76 a y concordantes de la Ley 50/1980, de 8 de octubre de contrato de seguro, según reforma operada por Ley 21/1990, 19 de diciembre ("BOE" 20 de diciembre) de adaptación del Derecho español a la Directiva 88/357/CEE; "por el que el asegurador se obliga, dentro de los límites establecidos en la Ley y en el contrato, a hacerse cargo de los gastos en que puede incurrir el asegurado como consecuencias de su intervención en un procedimiento administrativo, judicial o arbitral, y a prestarle los servicios de asistencia jurídica judicial y extrajudicial derivados de la cobertura del seguro", frente a la culpa extracontractual, está en relación con la actuación del letrado para con el asegurado a quien no le une ningún vínculo contractual.

En dicha resolución ya hacíamos mención a que sería diferente la resolución de la cuestión litigiosa en el supuesto que el asegurado hubiera hecho uso de la facultad que le confiere el art. 76 d, de la Ley antes citada del derecho a elegir libremente el Procurador y Abogado que hayan de representarle y en defenderle en cualquier clase de procedimiento; en cuyo caso no existiría la menor duda de la existencia de un arrendamiento de servicios, Letrado-Cliente; y no como en el caso enjuiciado de una mera prestación de servicios de la Compañía Aseguradora a su asegurado en virtud del contrato suscrito.

A tenor de lo expuesto, debemos estimar la excepción de falta de legitimación activa y ello no hace preciso entrar a conocer sobre la excepción de prescripción, máxime cuando se ha ejercitado en la demanda únicamente la acción de responsabilidad por incumplimiento contractual (art. 1.101 Cc) y no la de responsabilidad extracontractual (art. 1.902 Cc), por lo que no podría declararse prescrita una acción no ejercitada en la demanda.

El recurso de apelación debe ser estimado.

Derecho de accesión

Por ser el constructor y no el dueño del terreno

Caso 51

Resumen: El legitimado para ejercitar el derecho de accesión es el dueño del terreno, no quien construye de buena fe, que solo tiene el derecho a reclamar la indemnización de los arts. 453 y 454 CC.

Sentencia: AP A Coruña, Santiago de Compostela, Sec. 6.ª, 241/2019, de 26 de diciembre. Recurso 155/2018 (SP/SENT/1045714).

Argumentación jurídica: Así planteado el debate ha de indicarse, en primer lugar, que lleva razón el apelante al alegar que no es de aplicación ni el art. 361 del Código Civil. Dicho artículo confiere al dueño del terreno en que se edificare de buena fe la opción de hacer suya la obra, pagando la indemnización, o de obligar al que fabricó a pagarle el precio del terreno. Es el dueño del terreno el que, según ese precepto, está legitimado. No la persona que edificó de buena fe, al que es precepto no confiere un derecho autónomo. Solo tiene el derecho de reclamar la indemnización de los artículos 453 y 454.

Derecho de rectificación

Caso 52

Resumen: Carece de legitimación activa por no aparecer la actora de manera directa aludida en publicación sobre técnicas utilizadas por clínicas dentales.

Sentencia: AP Valencia, Sec. 11.ª, 216/2013, de 10 de mayo, Recurso 870/2012 (SP/SENT/954385).

Argumentación jurídica: En el primer motivo del recurso se ha analizado por el recurrente la naturaleza del artículo periodístico, en debate sobre si debe calificar como publicidad o no. La Sala coincide parcialmente con el demandante, en la medida que formalmente este artículo fue incluido en la hoja 35 en la sección de "salud y vida", y en ningún lugar se indica que sea publicidad de Clínicas Unidental. Ahora bien, su lectura obliga a coincidir con el Juez a quo en la medida que en aquel, se mezclan una suerte manifestaciones divulgatorias junto con otras de promoción de las citadas clínicas; así, después de explicar los problemas de las dentaduras postizas removibles, entra a analizar la técnica que utiliza las Clínicas Unidental y a partir de ese párrafo el artículo se dedica a explicar la "implantología dental", pero referida a como la realizan esas Clínicas; es decir, aparece formalmente como un artículo divulgativo de esa técnica pero exclusivamente en el uso que realizan las Clínicas Unidental y en clara promoción de aquellas. Esta naturaleza mixta del artículo periodístico está en la esencia de que, en primera instancia, el derecho ejercitado por el demandante fuese denegado por la falta de legitimación "ad causam", por cuanto el artículo 1 de la LO 2/1984 limita el ejercicio del derecho de rectificación al perjudicado aludido. Limitación que nace de su carácter instrumental, así el Tribunal Constitucional, en Sentencia número 35/1983, de 11 de mayo incidió en el derecho de rectificación como un medio cuyo fin es evitar "... el perjuicio que una determinada información pueda irrogarle en su honor...", configurándose como, un derecho subjetivo que complementa la garantía de la libre formación de la opinión pública, al darle acceso a una versión disidente de los hechos publicados. (Sentencia del Tribunal Constitucional de fecha 22 de diciembre de 1986); este carácter impide que se confunda con el derecho a réplica, ya que el derecho es a "rectificar " termino que debe ser interpretado como "modificar, corregir o emendar" y por tanto únicamente puede recaer sobre hechos (artículo 1 de la LO 2/1984) y no sobre opiniones, por eso se configura como un complemento del artículo 20 del CE, que consagra el derecho a comunicar la información y a recibirla de manera libre, contribuyendo por consiguiente a la formación de una opinión pública libre, la que necesita el requisito de la veracidad (Sentencias del Tribunal Constitucional números 168/1986, de 22 de diciembre y 51/2007, de 12 de marzo). No configurado como un derecho de réplica, cualquier ciudadano que no esté conforme con un artículo periodístico no tiene el derecho a ejercitar la rectificación sino exclusivamente cuando ostente la "condición de perjudicado aludido" (artículo 1.2 de la LO2/1984). En el enjuiciado la actora no aparece de manera directa aludida, pues incluso si atendemos al contenido de su rectificación observamos que ninguno de ellos recae en hechos de referencia de la actora, no apareciendo esta como perjudicada, ni aunque atendamos a la función que le atribuyen sus estatus conforme ha sido explicado en el escrito del recurso. Pues como esta Sala ya se ha pronunciado en otras Sentencias, como la n.º 415/ 2012 de 28 de junio "... puede ser que la actora se haya sentido subjetivamente aludida, pero la legitimación para el ejercicio del derecho de que se trata no viene determinada por la circunstancia de que una persona física o jurídica se sienta subjetivamente, o incluso interesadamente, aludida en una información, sino por el hecho objetivo de que una noticia le aluda...". Si se traspasa el límite legal, aceptando la tesis del recurrente, se convertiría el derecho de rectificación un derecho de réplica, obsérvese que en el punto segundo de la solicitud, cuando indica "... que no existe ninguna sociedad médica ni mercantil con la denominación "unión de dentistas" calificó esa expresión de fines "publicitarios", o que en el punto tercero de la rectificación ni siquiera esta recae sobre un hecho sino que se crítica la calificación de las Clínicas Unidental como la "vanguardia"; ambos extremos no son más que una constatación de que la demandante no es la perjudicada del artículo periodístico y por tanto no ejercita el derecho de rectificación sino que persigue replicar a la citadas Clínicas por unas manifestaciones y opiniones sobre las que no está conforme. En conclusión los limites subjetivos del ejercicio del derecho de rectificación como expresión del derecho constitucional del artículo 20 de la CE, impide al carecer el demandante de la condición de perjudicado aludido que ostente la legitimación para ejercitar este derecho.

Derechos reales inscritos

Por no constar la finca inscrita a favor del actor

Caso 53

Resumen: Falta de legitimación del actor para acceder a la protección especial de protección de los derechos reales inscritos al no constar inscrita, en la propia certificación registral aportada con la demanda, la finca a favor del actor.

Sentencia: AP Madrid, Sec. 9.ª, 54/2018, de 1 de febrero. Recurso 903/2017 (SP/SENT/953286).

Argumentación jurídica: teniendo en cuenta el carácter especial del procedimiento derivado del artículo 41 de la Ley Hipotecaria, y que su finalidad es la protección de los derechos reales inscritos, es necesario que de la certificación del Registro que se aporte con la demanda, como requisito de procedibilidad y de admisión de la demanda, se deduzca que el actor es titular según el registro del derecho real cuya protección se pretende obtener por esta vía privilegiada, toda vez que la legitimación solo le viene dada por la inscripción a su nombre del derecho real en el Registro de la Propiedad, sin que dicha legitimación pueda pretenderse obtener por documentos o actos que no han tenido acceso al Registro de la Propiedad, pues si el fundamento de este proceso especial y sumario, es la presunción de legitimación registral, y por lo tanto se derivada de la presunción y del principio de legitimación registral y exactitud, consagrados en los arts. 1 y 38 LH, esta protección especial decae, cuando en la propia certificación registral aportada con la demanda, no costa inscrita la finca a favor del actor, puesto que si el demandando carecer de cualquier título para poseer la finca, el actor es propietario de ella en virtud de un negocio jurídico que no ha accedido al Registro de la Propiedad, podrá pretender la tutela de su derecho, bien por el juicio de desahucio por precario, bien por el proceso declarativo correspondiente, pero no por este proceso especial, al que solo pueden acceder los titulares del derecho real que se pretende proteger, siempre que de la certificación registral conste inscrito a su nombre, sin que la legitimación activa se pueda derivar de actos o negocios jurídicas que no han accedido al registro a la propiedad, ya se haya llevado a cabo por virtud de un cesión o trasmisión individual o universal de los bienes.

Debiendo por lo tanto entenderse que el presente caso no solo procede estimar la falta de legitimación activa de la entidad actora, sino que debería haberse inadmitido a trámite la demanda en base al artículo 439.2 de la Ley de Enjuiciamiento Civil.

Derecho societario

En impugnación de acuerdos

Caso 54

Resumen: Falta de legitimación activa de la sociedad para instar la nulidad del acuerdo de reducción de capital adoptado por ella, del contrato de compraventa de acciones en el que no fue parte y de la condonación de parte del precio.

Sentencia: TS, Sala Primera, de lo Civil, 284/2020, de 11 de junio. Recurso 4081/2017 (SP/SENT/1056094).

Argumentación jurídica: Aunque los recurrentes insisten en que en la demanda, como pretensión principal, únicamente ejercitaron una acción de nulidad de los negocios jurídicos que dieron lugar a la transmisión del inmueble litigioso, lo cierto es que no se trata de un único contrato con un único propósito negocial, sino que se trata de un entramado que aúna, por un lado, dos actos de naturaleza civil, la compraventa de unas acciones y la donación de un crédito, y por otro, un negocio jurídico societario que entraña la reducción del capital de una sociedad mercantil.

Incluso aunque a efectos meramente dialécticos considerásemos que no hubo acumulación de acciones en sentido propio, porque solo se ejercitó una única acción de nulidad, relativa no a cada uno de los negocios jurídicos individualmente considerados, sino al entramado contractual complejo, compuesto por el contrato de compraventa y el acuerdo social de reducción del capital, que tendría como finalidad encubierta una donación, nos encontraríamos con un obstáculo insalvable, cual es que la sociedad que adoptó el acuerdo cuya nulidad se pretende no puede ser demandante, sino que tendría que ser necesariamente demandada, como exige taxativamente el art. 206.3 de la Ley de Sociedades de Capital (LSC).

2. Por ello mismo, como correctamente razona la Audiencia Provincial, ni siquiera tendría sentido optar por una nulidad de actuaciones que las repusiera al estado en que se requiriese a la parte demandante para que optase por alguna de las pretensiones no acumulables, conforme al art. 73.3 LEC, puesto que el defecto de legitimación activa y pasiva antes indicado resultaría insubsanable.

Falta de legitimación de Sendeja que se extiende al resto de pretensiones, y no solo a la de índole societaria, puesto que carece de legitimación para instar la nulidad de un contrato de compraventa de acciones en el que no fue parte o para cuestionar una pretendida donación de un crédito (más propiamente, condonación de la parte de precio pendiente de pago), que perjudicaría a dos de los hermanos en favor del tercero de ellos.

3. Como consecuencia de lo cual, los dos primeros motivos de infracción procesal deben ser desestimados.

Caso 55

Resumen: Falta de legitimación activa de la actora para impugnar la junta general de la sociedad dado que el titular de las acciones era su marido, por lo que al haber fallecido sin haberse liquidado la sociedad de gananciales carece de derecho alguno.

Sentencia: AP Málaga, Sec. 6.ª, 1189/2017, de 18 de diciembre. Recurso 487/2016 (SP/SENT/967721).

Argumentación jurídica: Resulta por tanto muy discutible que se pueda reconocer la legitimación al cónyuge de acciones adquiridas por el otro cónyuge constante la sociedad de gananciales, por el mero hecho de dicha ganancialidad, y por ello, afirma la parte apelante que aun partiendo de que las acciones del Sr. Eduardo tuvieran carácter ganancial, el Código Civil no legitima al cónyuge para ejercer los derechos del socio. El tema, como se ha expuesto, ha sido objeto de gran debate doctrinal, que se ha hecho aún más intenso tras la Resolución de la Dirección General de los Registros y del Notariado de 25 de julio de 2014 que trata un supuesto en que el cónyuge casado en gananciales solicita al amparo del artículo 265.2 de la Ley de Sociedades de Capital y 350 y siguientes del Reglamento del Registro Mercantil, como titular de más del 5 % del capital social de una sociedad de responsabilidad limitada, el nombramiento de un auditor que verificara las cuentas anuales correspondientes a un ejercicio social. Con carácter previo al pronunciamiento que da lugar a dicha cuestión de fondo, el Centro Directivo llega a la conclusión de que el hecho de que las participaciones sociales fueran adquiridas en estado de casado (en régimen de gananciales) por el socio correspondiente, supone sin más discusión la ganancialidad de las mismas. No vamos [a] entrar en esta resolución en el debate doctrinal sobre el carácter ganancial o no de las acciones, porque lo que interesa es determinar la legitimación de la parte actora para ejercitar la acción de impugnación de acuerdos sociales.

Aun cuando consideramos que el socio es el cónyuge que haya suscrito o asumido las acciones o participaciones, según el tipo social, sin que pueda confundirse lo que es gestión social con gestión de la sociedad de gananciales, ya que en el ámbito interno, el contrato de sociedad da lugar a relaciones de una persona con otras personas, lo trascendente en este caso es que, a la fecha de la demanda, no constaba la liquidación de la sociedad de gananciales ni la división de la herencia que se hizo en el curso del procedimiento. La liquidación de la sociedad de gananciales puede dar lugar a distintos escenarios, la adjudicación de la totalidad de las participaciones sociales o de las acciones al cónyuge viudo; la adjudicación del total de las participaciones sociales o de las acciones a los herederos del fallecido; o la adjudicación de parte de las participaciones sociales o acciones al cónyuge viudo y el resto a la herencia del cónyuge socio. Ahora bien, el período que media entre la disolución de la sociedad de gananciales, en este caso por fallecimiento de uno de los cónyuges, y la liquidación de la sociedad de gananciales, transcurre un período de tiempo durante el cual los bienes y derechos gananciales se mantienen pendientes de adjudicación entre los cónyuges, originando como se ha expuesto una sociedad postganancial, a la que no le resulta de aplicación el artículo 1.384 CC (STS 14 de febrero de 2005).

Abundando en lo anterior, a efectos de no reconocer legitimación activa a la actora, tampoco la demanda se basaba en la legitimación que ostentara la actora por la ganancialidad de las acciones de que era titular su fallecido esposo, y como se señala en la citada STS de 18 de junio de 2012, la legitimación no se puede alterar en el curso del proceso, para pretender basarla en el carácter ganancial de las acciones, máxime si tenemos en cuenta que la liquidación de la sociedad de gananciales y división del haber hereditario tuvieron lugar con posterioridad a la interposición de la demanda, siendo aportada la escritura pública en el acto de la audiencia previa.

La estimación del motivo de recurso relativo a la falta de legitimación activa de la actora hace innecesario resolver los demás motivos de recurso, si bien, hemos de precisar, que el artículo invocado 204.3 LSC relativo a la improcedencia de impugnación de acuerdos basada en la infracción de requisitos meramente procedimentales o en la incorrección o insuficiencia de la información facilitada por la sociedad, no estaba vigente en el momento en que en el que se adoptó el acuerdo, ya que dicho precepto fue redactado por la Ley 31/2014, de 3 de diciembre.

Por ello, no concurriendo la legitimación que la actora alegó en el momento de interposición de la demanda, procede desestimar la misma, absolviendo a la demandada de los pedimentos deducidos en su contra. En cuanto a las costas, de conformidad con el artículo 394 LEC, procedería en virtud del principio del vencimiento, su imposición a la parte actora. No obstante, estimamos que el caso plantea dudas fácticas y jurídicas que quedan patentes en la fundamentación de la sentencia, que justifican que no se haga una expresa imposición de las costas causadas en primera instancia.

Caso 56

Resumen: Falta de legitimación activa de la actora para impugnar la junta general de la sociedad dado que el titular de las acciones era su marido, por lo que al haber fallecido sin haberse liquidado la sociedad de gananciales carece de derecho alguno.

Sentencia: AP Badajoz, Sec. 2.ª, 255/2014, de 28 de octubre. Recurso 390/2014 (SP/SENT/797409).

Argumentación jurídica: Resulta por tanto muy discutible que se pueda reconocer la legitimación al cónyuge de acciones adquiridas por el otro cónyuge constante la sociedad de gananciales, por el mero hecho de dicha ganancialidad, y por ello, afirma la parte apelante que aun partiendo de que las acciones del Sr. Eduardo tuvieran carácter ganancial, el Código Civil no legitima al cónyuge para ejercer los derechos del socio. El tema, como se ha expuesto, ha sido objeto de gran debate doctrinal, que se ha hecho aún más intenso tras la Resolución de la Dirección General de los Registros y del Notariado de 25 de julio de 2014 que trata un supuesto en que el cónyuge casado en gananciales solicita al amparo del artículo 265.2 de la Ley de Sociedades de Capital y 350 y siguientes del Reglamento del Registro Mercantil, como titular de más del 5 % del capital social de una sociedad de responsabilidad limitada, el nombramiento de un auditor que verificara las cuentas anuales correspondientes a un ejercicio social. Con carácter previo al pronunciamiento que da lugar a dicha cuestión de fondo, el Centro Directivo llega a la conclusión de que el hecho de que las participaciones sociales fueran adquiridas en estado de casado (en régimen de gananciales) por el socio correspondiente, supone sin más discusión la ganancialidad de las mismas. No vamos [a] entrar en esta resolución en el debate doctrinal sobre el carácter ganancial o no de las acciones, porque lo que interesa es determinar la legitimación de la parte actora para ejercitar la acción de impugnación de acuerdos sociales.

Aun cuando consideramos que el socio es el cónyuge que haya suscrito o asumido las acciones o participaciones, según el tipo social, sin que pueda confundirse lo que es gestión social con gestión de la sociedad de gananciales, ya que en el ámbito interno, el contrato de sociedad da lugar a relaciones de una persona con otras personas, lo trascendente en este caso es que, a la fecha de la demanda, no constaba la liquidación de la sociedad de gananciales ni la división de la herencia que se hizo en el curso del procedimiento. La liquidación de la sociedad de gananciales puede dar lugar a distintos escenarios, la adjudicación de la totalidad de las participaciones sociales o de las acciones al cónyuge viudo; la adjudicación del total de las participaciones sociales o de las acciones a los herederos del fallecido; o la adjudicación de parte de las participaciones sociales o acciones al cónyuge viudo y el resto a la herencia del cónyuge socio. Ahora bien, el período que media entre la disolución de la sociedad de gananciales, en este caso por fallecimiento de uno de los cónyuges, y la liquidación de la sociedad de gananciales, transcurre un período de tiempo durante el cual los bienes y derechos gananciales se mantienen pendientes de adjudicación entre los cónyuges, originando como se ha expuesto una sociedad postganancial, a la que no le resulta de aplicación el artículo 1.384 CC (STS 14 de febrero de 2005).

Abundando en lo anterior, a efectos de no reconocer legitimación activa a la actora, tampoco la demanda se basaba en la legitimación que ostentara la actora por la ganancialidad de las acciones de que era titular su fallecido esposo, y como se señala en la citada STS de 18 de junio de 2012, la legitimación no se puede alterar en el curso del proceso, para pretender basarla en el carácter ganancial de las acciones, máxime si tenemos en cuenta que la liquidación de la sociedad de gananciales y división del haber hereditario tuvieron lugar con posterioridad a la interposición de la demanda, siendo aportada la escritura pública en el acto de la audiencia previa.

La estimación del motivo de recurso relativo a la falta de legitimación activa de la actora hace innecesario resolver los demás motivos de recurso, si bien, hemos de precisar, que el artículo invocado 204.3 LSC relativo a la improcedencia de impugnación de acuerdos basada en la infracción de requisitos meramente procedimentales o en la incorrección o insuficiencia de la información facilitada por la sociedad, no estaba vigente en el momento en que en el que se adoptó el acuerdo, ya que dicho precepto fue redactado por la Ley 31/2014, de 3 de diciembre.

Por ello, no concurriendo la legitimación que la actora alegó en el momento de interposición de la demanda, procede desestimar la misma, absolviendo a la demandada de los pedimentos deducidos en su contra. En cuanto a las costas, de conformidad con el artículo 394 LEC, procedería en virtud del principio del vencimiento, su imposición a la parte actora. No obstante, estimamos que el caso plantea dudas fácticas y jurídicas que quedan patentes en la fundamentación de la sentencia, que justifican que no se haga una expresa imposición de las costas causadas en primera instancia.

Caso 57

Resumen: Falta de legitimación activa del demandante, pues el contrato no fue firmado por él, sino por la sociedad y además si se admitiese la misma se vulneraría el principio de la relatividad de los efectos del contrato.

Sentencia: AP Baleares, Sec. 3.ª, 515/2012, de 9 de noviembre. Recurso 552/2012 (SP/SENT/700507).

Argumentación jurídica: En el caso de autos el único demandante en el proceso, don Camilo, no fue parte en el contrato con base en el cual acciona que no fue otorgado por él, sino por dos sociedades de las que era socio.

Otorgar legitimación activa al Sr. Camilo supone tanto como ignorar la existencia de la persona jurídica, en concreto, de "Ibiza Música & Clothes, S.L.", que asumía en el contrato de autos el papel de distribuidora de los fonogramas que debía facilitarle "Can Ganguil S.L.", y supone dejar atrás siglos de evolución jurídica hacia el pleno reconocimiento de personalidad jurídica a las sociedades, separada de la de cada uno de sus miembros (artículo 35 y concordantes del Código Civil), doctrina vislumbrada en el derecho romano y construida trabajosamente en la edad media gracias a la combinación del elemento romano, el germánico y el canónico.

Con arreglo al artículo 233 del Real Decreto Legislativo 1/2010, de 2 de julio, por el que se aprueba el texto refundido de la Ley de Sociedades de Capital, "en la sociedad de capital la representación de la sociedad, en juicio o fuera de él, corresponde a los administradores en la forma determinada por los estatutos", lo que priva al socio de actuar en juicio incluso en el supuesto de que se arrogase la representación de la sociedad, lo que ni siquiera se da en el caso de autos.

Admitir la legitimación directa de un socio para exigir el cumplimento de un contrato que no fue firmado por él sino por la sociedad supone, además, vulneración del principio de la relatividad de los efectos del contrato proclamado en el artículo 1.257 del Código Civil, con arreglo al cual los efectos de dicho negocio jurídico se limitan a quienes fueron parte en él.

Por todo ello procede estimar la excepción de falta de legitimación activa opuesta por la demandada, lo que exime al tribunal de examinar cualesquiera otras cuestiones de las que se suscitan en el presente litigio, siendo la más llamativa la clara infracción del artículo 219 de la Ley de Enjuiciamiento Civil en que incurre la sentencia de primera instancia al dejar para ejecución de sentencia la cuantía indemnizatoria y no fijar base alguna para su cálculo.

División de la cosa común

Caso 58

Resumen: Falta de legitimación de la demandante para solicitar la división de la cosa común, ya que, aunque aparecía en la escritura de compra junto con la demandada, realmente ocupaba el lugar de su hermano que tenía problemas para inscribir a su nombre.

Sentencia: AP Alicante, Elche, Sec. 9.ª, 197/2014, de 10 de abril. Recurso 674/2013 (SP/SENT/774877).

Argumentación jurídica: Si los hechos que se exponen en el escrito de demanda anteriormente relatados, no parecen tener mucho sentido, puesto que no consta relación alguna entre las ahora litigantes que les hubiera podido llevar a la adquisición proindiviso de una vivienda, que además va a ser ocupada de forma inmediata por una de ellas y la persona con la que contrae matrimonio, hermano de la otra propietaria, resultan realmente paradójicos si se tiene en cuenta que la ahora demandante, Sra. Lucía, en el momento de la adquisición de la vivienda tenía 25 años de edad (nació el NÚM005 de 1976), sin haberse incorporado prácticamente al mercado laboral, ya que trabaja de forma esporádica a partir del mes de julio de 2002, de tal forma que cuando se formaliza la escritura pública de compraventa apenas tenía cotizados 30 días (Certificado de vida laboral), lo que hace imposible no solo que pudiera abonar a la promotora como señal y parte del precio, con anterioridad al otorgamiento de la escritura pública, la cantidad de 31.415,18 Euros, sino además que pudiera hacer frente a los pagos que le correspondían como consecuencia de la formalización del préstamo con garantía hipotecaria.

Es cierto que la Sra. Lucía, ahora demandante, ante el requerimiento que le fue practicado como consecuencia de las pruebas admitidas en la primera instancia, manifiesta que ese dinero le fue prestado por su padre, lo que no deja de resultar poco convincente por cuanto en ese supuesto, dicha cantidad en realidad se la estaba prestando a su hija y a otra persona que adquiría la vivienda por mitad y proindiviso junto a su hija. A lo expuesto debe añadirse que a partir del mes de abril de 2003, la vivienda en cuestión viene siendo ocupada por el matrimonio formado por la ahora demandada Doña Florencia y su marido Don Claudio, hermano de la demandante, hasta el momento de la ruptura matrimonial a primeros de 2008, quedando la ahora demandada en el uso de la vivienda, sin que por parte de los ocupantes se abone cantidad alguna a la copropietaria ahora demandante por la ocupación de la referida vivienda.

Lo expuesto debe relacionarse con el resultado que ofrece la prueba de interrogatorios de parte y de testigos. Así resulta significativo que las entregas de dinero a cuenta del precio de la vivienda las hiciera, conforme manifiesta el testigo Don Luis Angel, vendedor de la vivienda, Don Claudio, quien no interviene en la escritura de compraventa pero luego sí la ocupa, y las hiciera en ocasiones en solitario y otras acompañado o bien de su novia o de su hermana. También reconoce este testigo que la vivienda se pone a nombre de la ahora demandante "porque su hermano tenía problemas para hacerlo en el suyo", lo que es igualmente afirmado por la demandada.

Pues bien, de cuanto ha quedado expuesto se desprende con nitidez que la vivienda sita en Cox (Alicante) C/ DIRECCIÓN000 Tipo 4, adquirida mediante escritura de fecha 29 de octubre de 2002, no fue realmente adquirida por la ahora demandante, quien ocupa el lugar de su hermano Don Claudio en la escritura pública de compraventa como consecuencia de cuestiones económicas que entendía que hacía aconsejable la intervención de terceras personas, siendo realmente adquirida la propiedad por el Sr. Claudio y la entonces su novia, la ahora demandada Doña Florencia, que son además las personas que reciben la posesión de la vivienda y que vienen ocupándola desde la fecha de entrega de la misma, primero el matrimonio formado por el Sr. Claudio y la Sra. Florencia, y finalmente, esta última a partir de la ruptura matrimonial.

De cuanto ha quedado expuesto se desprende que la ahora demandante no tiene legitimación para el ejercicio de las acciones que se ejercitan de forma conjunta en la demanda inicial de las presentes actuaciones, por lo que debe estimarse el recurso de apelación interpuesto y consiguientemente, desestimarse la demanda inicial de las presentes actuaciones.

División judicial de la herencia

Caso 59

Resumen: Falta de legitimación activa pues la demandante que reclama la declaración de dominio por prescripción adquisitiva no prueba que la cuota invista de los titulares registrales formase parte del caudal hereditario de sus causantes.

Sentencia: AP Burgos, Sec. 2.ª, 373/2022, de 15 de diciembre. Recurso 354/2022 (SP/SENT/1172705).

Argumentación jurídica: Pretende la declaración del dominio a favor de la herencia yacente de D. Fidel y de D. Gabino o de su comunidad hereditaria respecto de una parte indivisa de la finca Monte La Rac que describe en su demanda, en virtud de la inscripción en el Registro de la Propiedad de la finca n.º NÚMOOO de 174Ha, adquirida por aquellos en subasta pública en fecha 9-8-1881.

– Sostiene su legitimación en el hecho de ser descendiente en línea recta de ambos titulares registrales en tercer y cuarto grado, permaneciendo la citada titularidad registral.

Como explica la STS de 12-3-1987, la herencia yacente no es más que el patrimonio relicto que se mantiene interinamente sin titular, por lo que carece de personalidad jurídica, aunque, para determinados efectos, se le otorga transitoriamente una consideración y tratamiento unitarios, siendo su destino el de ser adquirida por los herederos voluntarios o legales. Además, su comparecencia en juicio debe ser realizada por su administrador.

Por otra parte la existencia de una comunidad hereditaria exige la ausencia de previa partición hereditaria de los bienes de un concreto causante.

Lo cierto es que, teniendo en cuenta el larguísimo tiempo transcurrido desde el fallecimiento quienes figuran como titulares registrales de la citada finca y la numerosísima descendencia habida desde entonces, sin aportar ninguna referencia de sus respectivos caudales hereditarios, no es posible considerar justificada ni la existencia de una herencia yacente, ni tampoco la existencia de una comunidad hereditaria.

El solo hecho de existir un vínculo de parentesco entre el titular registral y la actora no le atribuye legitimación activa en la acción declarativa que se ejercita.

Además, la parte actora no acredita el vínculo familiar con D. Fidel y respecto de D. Gabino en un grado tan lejano (bisabuelo) y con tal numerosa descendencia que no se justifica ni la existencia de una posible comunidad hereditaria ni que la actora ostente un derecho hereditario respecto del mismo.

– D. Fidel falleció en enero de 1899 viudo, sin testamento. Con la prueba documental aportada no se acredita indubitadamente su descendencia ni el vínculo matrimonial de su posible descendencia con el otro causante Gabino, al no aportarse las partidas de nacimiento o matrimonio correspondientes. Además, mientras en la demanda se señala que el citado Gabino estuvo casado con Adolfina (a la que señala como hija de Fidel), lo cierto es que en el testamento de D. Gabino se indica sin embargo que estuvo casado en primeras nupcias con Ángela y en segundas nupcias con Apolonia.

– D. Gabino falleció el 21 de julio de 1936, bajo testamento de 23-4-1936 por el que instituyó herederos a sus hijos: Benita, Jose Antonio y Jose Ángel (fruto de un primer matrimonio con Ángela) y a Carlota (hija de un segundo matrimonio del causante con Apolonia).

– El citado Jose Ángel fruto de su matrimonio con Celestina tuvo 5 hijos: Filomena, Alexander, Jose Ramón, Gabriela y Amador.

– El citado Jose Ramón fruto de su matrimonio con Isidora tuvo 3 hijos: Laura, Ofelia y la ahora actora: Felisa.

No se ha justificado que las herencias habidas entre los descendientes del titular registral no hayan sido objeto de partición, sin que el hecho de permanecer en el Registro de la Propiedad la titularidad registral inicial del S. XIX justifique la existencia de una comunidad hereditaria, cuyos integrantes ni siquiera se describen.

En definitiva, no se justifica la legitimación activa de la parte actora.

Caso 60

Resumen: Falta de legitimación activa del heredero que reclama para sí y no en nombre de la herencia a otro coheredero las rentas no percibidas por el uso exclusivo de bienes integrados en el caudal hereditario aún por adjudicar.

Sentencia: AP Albacete, Sec. 1.ª, 381/2020, de 16 de julio. Recurso 207/2019 (SP/SENT/1064498).

Argumentación jurídica: La Sala comparte esa manera de ver las cosas, y efectivamente, con independencia de si la herencia tiene o no derecho –al amparo de lo dispuesto en el art 1.063 del Código Civil–, a la percepción a cargo del coheredero de unas rentas no pactadas, entiende que el demandante carece de legitimación para reclamar los importes en su propio nombre y para sí, pues el posible derecho sería de la herencia y no suyo.

La circunstancia, que se destaca en el recurso, de que el demandante no reclama la totalidad de las cantidades, sino solo la tercera parte, que es su cuota hereditaria, es irrelevante, pues, mientras no se haga la nueva partición, su derecho sobre esas cantidades o créditos está sin concretar, ya que, como se recuerda en la sentencia apelada, el artículo 1.068 del Código Civil establece que es la partición legalmente hecha la que confiere a cada heredero la propiedad exclusiva de los bienes que le hayan sido adjudicados. Así pues, mientras no se lleve a cabo la nueva partición, y, en su caso, se le adjudiquen total o parcialmente los créditos de autos, el actor no será titular de crédito alguno frente al demandado.

Caso 61

Resumen: Se plantea falta de legitimación activa pues los litigantes son partícipes de una comunidad hereditaria y a la vez de una sociedad limitada, junto con otros parientes no intervinientes y la Sala confirma la propiedad de la comunidad hereditaria.

Sentencia: AP Pontevedra, Sec. 3.ª, 129/2019, de 26 de marzo. Recurso 469/2018 (SP/SENT/1001942).

Argumentación jurídica: La primera causa de oposición ha sido la falta de legitimación de la sociedad demandante al negarse su condición de propietaria del inmueble. Es lo que resuelve la Juez a quo al declarar propietaria a la Comunidad hereditaria de D. Javier y D.ª Consuelo.

En este caso los litigantes son partícipes a la vez de la Comunidad hereditaria y de la Sociedad limitada, junto con otros parientes que no tienen intervención directa en este juicio.

... Es un hecho probado en juicio y no desacreditado por el recurso y su consecuencia es la aplicación del art. 361 CC para reconocer el derecho del dueño del terreno. La S.L. propietaria de la parcela puede hacer suya la edificación, pero para ello ha de ejercitar la opción que de forma expresa establece esta disposición. La accesión no se produce de forma automática como pretende el recurso, sino que habrá de ejercer ese derecho potestativo, con posibilidad asimismo de la solución opuesta, de ser quien construyó el que pague el precio del terreno...

... Se confirma por tanto la falta de legitimación activa de la demandante, al menos en el momento actual, para reconocerle la titularidad sobre la vivienda mientras mantenga su vigencia el derecho de la Comunidad hereditaria y de la demandada como integrante de ella.

Caso 62

Resumen: Falta de legitimación activa de la demandante que ejercita acción reivindicatoria del derecho de propiedad de la comunidad hereditaria que integra junto a la demandada sobre una porción de finca puesto que la demandada se opone a que la inste.

Sentencia: AP Madrid, Sec. 20.ª, 13/2016, de 27 de enero. Recurso 47/2015 (SP/SENT/843042).

Argumentación jurídica: La actora ejercita una acción reivindicatoria del derecho propiedad que entiende asiste a la comunidad hereditaria, integrada por la misma y por la demandada, sobre una porción de finca concreta y determinada que según aduce pertenece a dicha comunidad en tanto perteneciente al causante, hermano de ambas partes. La viabilidad de dicha acción exige como presupuesto que quien la ejercita esté asistido de títulos necesarios, eficientes y suficientes del dominio. En el caso, como es el presente, que la acción se ejercite sobre bienes hereditarios, se ha de partir de que solo la participación legalmente hecha confiere a cada heredero la propiedad exclusiva de los bienes que le hayan sido adjudicados, lo que determina que, al no ostentar la comunidad hereditaria una atribución concreta de bienes, el coheredero carezca, en principio, de legitimación para reivindicar, dada la indeterminación de sus derechos hasta las pertinentes adjudicaciones. No obstante, el título universal de herencia puede ser suficiente para ejercitar la acción reivindicatoria siempre que quede acreditado que la finca reivindicada forma parte de la herencia y además el coheredero comparezca en juicio para defender asuntos que afectan a la comunidad hereditaria –en cuyo caso la sentencia dictada aprovechará a todos los cotitulares–. Ahora bien, en todo caso es necesario que el coheredero actúe, sea con la conformidad de todos los coherederos o al menos de la mayoría de ellos, sea con el conocimiento y sin oposición de los mismos, es decir, también puede comparecer para suplir la desidia de otros comuneros aunque no tenga el respaldo de todos ellos. Como declaran las SSTS de 6 junio 1997 y 7 diciembre 1999, entre otras, cualquiera de los condóminos puede ejercitar acciones en beneficio de la comunidad, pero el reconocimiento de tal legitimación excepcional se fundamenta en una presunción de aceptación y conformidad del resto de los comuneros que lógicamente se asienta en la previsión de una sentencia favorable a los intereses comunes. En consecuencia, como declara la STS de 13 de julio de 2012 (que cita las anteriores) para demandar válidamente sería necesario un previo acuerdo entre los comuneros que habilitara a alguno de ellos para actuar en juicio o, en su caso, que tal actuación reuniera a la mayor parte de los intereses de la comunidad. En caso contrario, ... cabe plantear la existencia de ... falta de legitimación a que se refiere el artículo 10 de la Ley de Enjuiciamiento Civil al no resultar quien actúa titular "de la relación jurídica u objeto litigioso". Por lo tanto, la legitimación de un comunero o coheredero se funda en la posibilidad de obtener un resultado beneficioso para los intereses comunes de todos ellos. Sin embargo en el presente caso, la acción reivindicatoria se ejercita sobre una parte de una finca que según la ahora apelante pertenece a una finca que forma parte de la comunidad hereditaria, cuya porción, en la actualidad integra otro inmueble perteneciente a la coheredera demandada, y por lo tanto se ejercita la acción con la oposición de esta última. Por otro lado aunque en la demanda se dice ejercitar la acción para la comunidad hereditaria, en es dudoso que así sea, en tanto la eventual integración de la superficie reivindicada en el piso NÚMOOO de la AVENIDAOOO que forma parte de la herencia, contra lo decidido en la sentencia dictada en el proceso de división de herencia en la que se resuelve que la finca piso NÚMOOO mencionado debe formar parte del caudal relicto con la cabida y configuración que tenía cuando falleció el causante, incrementaría el derecho hereditario de la actora pero no el de la demandada, que vería reducido su derecho hereditario en la misma proporción en que se incrementara la superficie de la vivienda en cuestión.

En definitiva, tal como aprecia la Juzgadora de primera instancia, la actora aquí apelante carece de legitimación activa al no formular la demanda en beneficio de la comunidad hereditaria, respecto de la que no cuenta con la mayoría, ni actúa en beneficio de la misma, por lo que el recurso ha de ser rechazado, sin perjuicio de los eventuales derechos que en su caso una vez verificada la partición pudieran corresponder a la actora.

Caso 63

Resumen: Falta de legitimación del actor al haber interpuesto la demanda de división judicial de herencia sin ostentar la condición de heredero, pues, aunque alega ser hijo extramatrimonial de la causante, no figura en su testamento.

Sentencia: AP Valladolid, Sec. 3.ª, 32/2013, de 7 de febrero. Recurso 359/2012 (SP/SENT/712255).

Argumentación jurídica: La contestación de D. Agapito es que él era hijo extramatrimonial de la causante y aunque no figuraba en el testamento ostentaba la cualidad de heredero. Ante esas manifestaciones se decidió por parte del Juzgado la continuación del procedimiento.

Nuestro Ordenamiento Jurídico se inspira en el principio de rogación. Es la parte la dueña del procedimiento. Si el procedimiento se inició fue porque así lo solicitó D. Agapito, que pudo en cualquier momento desistir del mismo, pero pidió su continuación.

De acuerdo con lo dispuesto en el Art. 782 LEC solo pueden pedir la división judicial de la herencia los herederos del causante. Y en el momento de solicitarse la división D. Agapito no tenía esa cualidad de heredero. La tenía que adquirir previamente. No puede echar la culpa a terceros y menos al Juzgado cuando libremente ha interpuesto la demanda. Si está mal puesta deberá sufrir las consecuencias en cuanto a la imposición de costas.

Donación

Revocación por los herederos del donante

Caso 64

Resumen: Falta de legitimación activa de la donataria de las aportaciones para el ejercicio de acciones contractuales de la donante no ejercitadas por esta.

Sentencia: TS, Sala Primera, de lo Civil, 556/2021, de 21 de julio. Recurso 5419/2018 (SP/SENT/1108528).

Argumentación jurídica: No nos encontramos ante un supuesto de ejercicio de acciones por evicción, en las que se subroga el donatario conforme a lo dispuesto en el art. 638 CC, ni tampoco ante el ejercicio de acciones derivadas de un título universal o de herencia, en cuyo caso serían de aplicación los arts. 659 y 661 del CC, conforme a los cuales el causante transmite sus derechos y acciones a sus herederos, sin que en tal caso opere el principio de relatividad de los contratos.

Hemos razonado en la sentencia 770/1990, de 10 de diciembre, que la parte recurrente "[...] conforme el artículo 1.257 del Código Civil, que declara que el contrato "solo produce efecto entre las partes que los otorgan y sus herederos", no puede deducir acción para su cumplimiento o para obtener su nulidad", en consecuencia, no puede "[...] pedir la nulidad de un contrato en el que no han sido partes ni ella ni su esposo". De igual forma, hemos dicho en la sentencia 259/2008, de 11 de diciembre, que "la acción de nulidad de los contratos en que, pese a concurrir los requisitos del artículo 1.261, concurre algún vicio que los invalide, corresponde únicamente a los obligados principal o subsidiariamente en virtud de ellos".

No cabe ejercitar acción por enriquecimiento sin causa, puesto que, entre la donante y el banco, medió una relación jurídica, y la hija no sufrió empobrecimiento alguno, sino una atribución patrimonial a título gratuito. Al tiempo de que carece legitimación para el ejercicio de una acción en beneficio de su madre.

Por otra parte, es criterio asentado el que viene considerando, que la resolución del contrato, al amparo del art. 1.124 del CC, no puede fundarse en el incumplimiento de deberes previos a la contratación, "[...] dado que el incumplimiento, por su propia naturaleza, debe venir referido a la ejecución del contrato, mientras que aquí el defecto de asesoramiento habría afectado a la prestación del consentimiento" (sentencias 491/2017, de 13 de septiembre; 165/2020, de 11 de marzo; 612/2020, de 16 de noviembre).

Caso 65

Resumen: Los herederos del donante no pueden revocar la donación realizada si en vida de aquel no lo hizo cuando pudo.

Sentencia: TS, Sala Primera, de lo Civil, 335/2008, de 30 de abril Recurso 1762/2001 (SP/SENT/180897).

Argumentación jurídica: Si el donante ha podido instar la revocación y no lo ha hecho, sus herederos no podrán *ex novo* incoar la acción. Lo cual es así. Si en vida no ejercitó la acción de revocación porque no quiso hacerlo, no pueden ejercitarla sus herederos. Ciertamente, el causante vertió el mismo día y ante el mismo notario ante quien otorgó testamento, unas manifestaciones acerca de que no recordaba la donación, de que debía tener mermadas sus facultades mentales y de que nunca había recibido auxilio económico o material; pero no ejercitó acción alguna. Esta es la fundamentación del fallo. Además, a mayor abundamiento y *obiter dicta* añade que cuando el demandante reconvencional ejerció la acción, esta había ya caducado.

Ejecución hipotecaria

Por no tener el cesionario del crédito hipotecario el mismo inscrito en el Registro

Caso 66

Resumen: Falta de legitimación activa del actor que promueve la ejecución hipotecaria sin ser el cesionario del crédito hipotecario cuyo título adquisitivo derivativo constaba inscrito en el Registro.

Auto: AP Barcelona, Sec. 16.ª, 190/2018, de 29 de mayo. Recurso 956/2017 (SP/AUTRJ/960870).

Argumentación jurídica: En consecuencia, dejando de lado que el deudor cedido pueda eficazmente liberarse de la obligación pagando al acreedor originario "antes de tener conocimiento de la cesión" (la STS de 28 de noviembre de 2013 antes citada destaca que ni el artículo 1527 CC ni el artículo 1164 del mismo Código condicionan la eficacia de la cesión al conocimiento del deudor, sino que simplemente protegen al deudor de buena fe que paga al acreedor aparente), lo relevante de la nueva redacción del primer párrafo del artículo 149 LH es que subraya el carácter constitutivo de la inscripción registral también en caso de transmisión de la hipoteca subsiguiente a la transmisión del crédito garantizado, lo que se complementa en el orden registral con la indicación de que esa cesión "se consignará en el Registro por medio de una nueva inscripción a favor del cesionario" (artículo 244 del Reglamento Hipotecario).

De ahí que no pueda considerarse vigente algún pronunciamiento jurisprudencial relativo a las cualidades que debe cumplir el ejecutante fundado en la regulación del proceso ejecutivo hipotecario anterior a la LEC de 2000 (por ejemplo, la STS de 29 de junio de 1989, a cuyo tenor el banco subrogado en la posición de otro por vía de sucesión universal está legitimado para promover una acción real hipotecaria pese a no figurar como titular registral), ya que otros pronunciamientos del mismo Tribunal subrayan la estricta base registral del procedimiento de realización del bien hipotecado (por ejemplo, la STS de 24 de marzo de 1983, en un supuesto en que se debatía la concurrencia de un litisconsorcio pasivo entre el deudor y su esposa poderdante, recuerda que ese procedimiento "se atiene estrictamente a los datos del Registro"), y además aquella doctrina se apoyaba fundamentalmente en la primitiva redacción del artículo 149 LH, la cual, como ya se expuso, no distinguía con precisión entre los requisitos de la mera cesión del crédito hipotecario y las exigencias del cambio de titularidad de la hipoteca.

Otros pronunciamientos del Tribunal Supremo (así, sentencias de 25 de febrero de 2003 y 4 de junio de 2007) tratan de diversos supuestos en que la ejecución hipotecaria era promovida por el cesionario del crédito hipotecario cuyo título adquisitivo derivativo constaba debidamente inscrito en el Registro, de manera que no se suscitaba cuestión alguna en relación a su legitimación activa.

Idéntica orientación restrictiva de la legitimación del ejecutante en el procedimiento hipotecario sigue la Ley 2/1994, de 30 de marzo, de subrogación y modificación de préstamos hipotecarios, cuyo artículo 6 prescribe, en orden a la ejecución de la hipoteca, que la entidad subrogada debe presentar, amén del título de crédito revestido de los requisitos exigidos por la ley procesal para despachar ejecución, la primera copia auténtica "inscrita" de la escritura de subrogación.

Caso 67

Resumen: Ejecución hipotecaria: se aprecia la falta de legitimación activa de la parte ejecutante, al haberse producido la cesión a un tercero del préstamo hipotecario, declarándose nulo el despacho de la ejecución.

Auto: Juzgado de 1.ª Instancia Benidorm, Sala, Sec., n.º 1, de 10 de junio de 2016 (SP/AUTRJ/859235).

Argumentación jurídica: La mercantil BANKIA S.A. ha instado la ejecución hipotecaria actuando en su propio nombre y sin indicar hasta que se ha solicitado por el Juzgado, que había tenido lugar una titulización y cesión de los derechos de crédito a favor de un Fondo de Titulización de Activos, y sin aportar la escritura de constitución del fondo de titulización de activos y cesión de derechos de crédito en un principio.

En la cesión total de los derechos de crédito, en su caso. la legitimación ordinaria para las acciones que derivan del crédito hipotecario correspondería al partícipe, no teniendo legitimación la entidad emisora, que es la ejecutante en el presente procedimiento. La entidad emisora no ha cedido a un tercero una parte o participación de sus derechos hipotecarios, sino que se agrupan varios préstamos hipotecarios. y se ceden en su totalidad a un Fondo de titulización de Activos, por lo que no se puede aplicar el art. 15 de la Ley de Mercado Hipotecario, ni el art. 61 y 65.3 RD 685/82, que solamente tendrían sentido. cuando se cediera una porción de derechos de crédito, y que en todo caso, se debería repartir conforme cada participación la parte que le pudiera corresponder al participe y al cedente.

Al haberse producido una cestón a un tercero del préstamo hipotecario, la ahora ejecutante habría perdido su condición de titular acreedor del préstamo, y con ello, también las acciones destinadas a su restitución, incluida la hipotecaria. A tenor del art 149 LH el crédito o préstamo garantizado con hipoteca podrá cederse en todo o en parte conforme el art. 1.526 Cc. subrogándose el cesionario en todos los derechos del cedente. Por su parte, el art. 1.528 Cc expone que la venta o cesión de un crédito comprende la de todos los derechos accesorios, como la fianza, hipoteca, prenda o privilegio.

También en este sentido el Banco de España en respuesta de fecha 26 de marzo de 2015 a una consulta formulada a través de la CNMV establece que: "... de conformidad con la Ley 19/1992 sobre régimen de sociedades y fondos de inversión inmobiliaria y sobre fondos de titulización hipotecaria, la titulización de un préstamo supone que la entidad que concedió el mismo, deja de ser la acreedora del préstamo, aunque conserve por ley la titularidad registral y siga manteniendo, salvo pacto en contrario, su administración".

Por todo lo expuesto, se debe apreciar falta de legitimación activa de la parte ejecutante por no ostentar esta la condición de parte legítima para solicitar el abono del crédito objeto de la presente ejecución, conforme el art. 10 LEC. La falta de legitimación activa es un defecto procesal insubsanable y apreciable de oficio en cualquier momento del proceso como dispone el art. 9 LEC.

En este sentido. Auto Juzgado de Primera Instancia n.º 5 Gijón, n.º 67/2016 de 13 de abril de 2016, Auto del Juzgado de Primera Instancia n.º 6 de Arganda del Rey de 12 de noviembre de 2015, Auto del Juzgado de Primera Instancia n.º 2 de Arganda del Rey de 2 de diciembre de 2015, Auto del Juzgado de 1.ª Instancia n.º 4 Collado Villalba de 11 de marzo de 2016, Auto del Juzgado Primera Instancia n.º 8 de Málaga, n.º 20/2015 de 14 de enero de 2015, Auto Juzgado de Primera Instancia n.º 1 de Fuenlabrada, entre otros.

En consecuencia, el despacho de la ejecución a favor de quien no ostenta la condición de palie legitima debe declararse nulo por no haberse seguido las normas esenciales del procedimiento al faltar uno de los requisitos fundamentales de la acción ejercitada y es que la entidad demandante no era la titular del crédito que pretendía ejecutar, a tenor del art 225,3.º LEC, y en base a ello, debe archivarse el actual proceso.

Grupos empresariales

Caso 68

Resumen: Se confirma la falta de legitimación activa de la actora; las facturas impagadas, contrato de impresión, no fueron expedidas a favor de esta sino de otra empresa, y aunque ambas pertenecen al mismo grupo empresarial tienen personalidad distinta.

Sentencia: AP Madrid, Sec. 18.ª, 165/2022, de 21 de abril. Recurso 466/2021 (SP/SENT/1156761).

Argumentación jurídica: En esta línea, no siendo hechos cuestionados que los servicios de impresión fueron prestados por Industrial Gráfica Altair S.A., esto es, por una empresa del grupo, siendo las facturas emitidas y giradas por la referida mercantil, no por la ahora apelante que era la sociedad matriz, debe tenerse en cuenta como se dice en la STS 76/2020, de 4 de febrero, que:

"La jurisprudencia de esta sala (por todas, sentencia 47/2018, de 30 de enero) declara que ha de respetarse la personalidad de las sociedades de capital y las reglas sobre el alcance de la responsabilidad de las obligaciones asumidas por dichas entidades, que no afecta a sus socios y administradores, ni tampoco a las sociedades que pudieran formar parte del mismo grupo, salvo en los supuestos expresamente previstos en la Ley. Lo anterior no impide que "excepcionalmente, cuando concurren determinadas circunstancias (son clásicos los supuestos de infra capitalización, confusión de personalidades, dirección externa y fraude o abuso) sea procedente el "levantamiento del velo" a fin de evitar que el respeto absoluto a la personalidad provoque de forma injustificada el desconocimiento de legítimos derechos e intereses de terceros. Los grupos de sociedades carecen de personalidad jurídica propia, y por tanto de un patrimonio propio. Cada sociedad es exclusiva titular de su propio patrimonio, que responde de sus obligaciones. No existe un "patrimonio de grupo", ni un principio de comunicabilidad de responsabilidades entre los distintos patrimonios de las distintas sociedades por el mero hecho de estar integradas en un grupo, sin perjuicio de situaciones excepcionales que justifiquen el levantamiento del velo".

Por lo que, en definitiva, de acertada debe calificarse la decisión adoptada al estimarse la falta de legitimación de quien encabeza la demanda a ejercitar la acción de reclamación ejercitada, pues estableciendo el art. 10 LEC que serán considerados partes legitimas quienes comparezcan y actúen en juicio como titulares de la relación jurídico u objeto litigioso, una cosa es que ostente legitimación al ser parte del contrato objeto de controversia y otra muy distinta que esté legitimada para reclamar en base a dicho contrato los servicios prestados por Industrial Gráfica Altair S.A., como parece pretenderse, cuando por el hecho de que forme parte del grupo empresarial Impresia Ibérica S.A. no pierde su personalidad jurídica propia. Y de ahí que siendo ella quién prestó los servicios, es a ella a quien corresponde reclamar su pago.

Lo que implica la desestimación del recurso de apelación, sin que deba entrarse en alegaciones distintas a las que la apelante sustenta su demanda.

QUINTO. Es más, aunque solo sea a efectos meramente expositivos y pudiera así partirse de que por la demandante se hubiese ya en su escrito de demanda haber alegado que estaba en todo caso autorizada a percibir los pagos y cobrar las facturas de Industrial Gráfica Altair S.A. en base al art. 1.162 CC, con lo que se convertiría en acreedora de Globus y de los demandados por una suerte de autorización de Industrial Gráfica Altair S.A., a igual conclusión desestimatoria se llegaría.

En este sentido, dados los concretos términos del contrato objeto de esta litis, se hace necesario proceder a su interpretación de acuerdo a lo dispuesto en los arts. 1.281 a 1.289 CC.

La STS 309/2015, de 11 de junio, al respecto tiene declarado que:

""El proceso interpretativo de los contratos ha sido abordado por esta Sala, en SSTS, como las más recientes, de 29 de enero de 2015, núm. 27/2015, de 19 de mayo de 2015 y la de 18 de junio de 2012, núm. 294/2012, según las cuales, con carácter general, tiene por objeto la atribución de sentido o de significado a una determinada declaración de voluntad. La labor interpretativa no puede hacerse desde una libertad absoluta en la búsqueda o atribución de sentido, sino que está sujeta a las reglas interpretativas que exige el proceso. En este contexto, esta Sala se ha ocupado establecer una serie de directrices que, en síntesis son: en primer lugar, la intención común de las partes debe proyectarse sobre la totalidad del contrato y no como una mera suma de cláusulas y anexos (canon hermenéutico de la totalidad del art. 1.286 CC); en segundo lugar, debe señalarse el carácter instrumental que presenta la interpretación literal que se infiere del criterio gramatical (art. 1.281.1 CC) que no puede ser valorada como un fin en sí mismo, pues la atribución de sentido objeto de interpretación, conforme a un segundo párrafo, sigue estando en la voluntad realmente querida por las partes.

Respecto del motivo planteado, la unidad que presenta la aplicación del art. 1.281 CC en el plano de la interpretación del contrato marco y sus tres pactos complementarios, y su lógica conexión con lo dispuesto en el art. 1.282 CC, tiene su fundamento en el llamado principio "espiritualista", de lo que deriva necesariamente que la indagación de la voluntad realmente querida por los contratantes debe ser examinada en la contemplación conjunta de todo el conjunto contractual"".

Y como precisa la STS 364/2015, de 28 de junio, ""Cuando los términos son claros y no dejan duda alguna sobre la intención de los contratantes, la interpretación literal no solo es el punto de partida sino también el de llegada del fenómeno interpretativo, e impide que, con el pretexto de la labor interpretativa, se pueda modificar una declaración que realmente resulta clara y precisa. A ello responde la regla de interpretación contenida en el párrafo primero del art. 1.281 CC ("si los términos de un contrato son claros y no dejan duda sobre la intención de los contratantes, se estará al sentido literal de sus cláusulas")".

En aplicación de dicha doctrina, es claro que no hay una autorización a favor de la actora a percibir los pagos y cobrar las facturas de Industrial Gráfica Altair S.A.

Herencia yacente

Caso 69

Resumen: Falta de legitimación activa de la heredera ya que la representación de la herencia yacente del causante corresponde en exclusiva a la viuda sin que conste efectuada todavía aceptación alguna de la herencia por ninguno de los sucesores.

Sentencia: AP Vizcaya, Sec. 4.ª, 280/2018, de 26 de abril. Recurso 879/2017 (SP/SENT/963964).

Argumentación jurídica: De la falta de legitimación activa de la hija del prestatario fallecido:

1. Se debe desestimar este motivo de impugnación y confirmar la resolución recurrida que aprecia la excepción planteada de falta de legitimación activa de Dña. Josefa para promover la presente demanda sobre nulidad por abusividad de la cláusula suelo inserta en contrato de préstamo hipotecario concertado por sus padres.

2. No es controvertido que D. Cecilio falleció tras otorgar testamento en el que, en uso del derecho que le reconoce la legislación foral vizcaína "confiere a su esposa Dña. Macarena, poder testatorio para que a su fallecimiento disponga entre los hijos y descendientes, –si los tuvieren– de todos los bienes, créditos, derechos y acciones que dejare bien sea por contrato inter vivos o mortis causa, haciendo legados, donaciones, mejoras, mandas, instituciones de herederos, desheredamientos, exclusión y apartamiento que a bien tuviere, dentro del término legal o fuera de él, pues lo prorroga por treinta años más".

Los derechos a la herencia del Sr. Cecilio al haber fallecido el 7 de diciembre de 2013, antes de hallase en vigor la Ley 5/2015, de 25 de junio, de Derecho Civil Vasco, se rigen por la legislación anterior, la Ley 3/1992, de 1 de julio, de Derecho Civil Foral del País Vasco, en virtud de la Disposición Transitoria Primera sobre conflictos intertemporales, que se remite a la Disposición Transitoria Cuarta del Código Civil sobre que las acciones y derechos nacidos y no ejercitados antes de regir la LDCV subsistirán con la extensión y en los términos reconocidos por la legislación precedente, pero sujetándose en cuanto a su ejercicio, duración y procedimiento para hacerlos valer, a lo dispuesto por la nueva ley.

3. La Sentencia de la Audiencia Provincial de Bizkaia de 3 de julio de 2013, con cita de otra anterior de esta Audiencia Provincial 22 de diciembre de 2010, analiza un caso similar al presente, al mostrar la parte apelante su disconformidad con la apreciación de la falta de legitimación activa, al no haber aceptado la herencia de su padre ni constar que su madre, el cónyuge viudo designada comisaria, haya hecho uso del poder testatorio que le fue concedido por el fallecido, alegando que se ha incurrido en una errónea aplicación de la normativa jurídica representada por el art. 999 del Código Civil que establece que la aceptación de la

herencia puede ser expresa o tácita, siendo que la presentación de esta demanda sobre derechos hereditarios de su padre conlleva la aceptación tácita de la herencia de su padre y le confiere legitimación, al señalar que:

"No es de aplicación al supuesto de autos lo establecido en la legislación común a que se refiere el art. 999 del Código Civil cuando regula la aceptación tácita del instituido heredero, sino las especialidades del derecho foral de aplicación al caso de autos y que están contempladas en la Ley 3/1992, de 1 de julio, de Derecho Civil Foral del País Vasco, toda vez que no consta la liquidación de la comunicación foral del fallecido D. Jon con la codemandante Dña. Manuela y sí por el contrario la existencia de poder testatorio a favor de la viuda no ejercitado hasta la fecha. Por ello es de aplicación lo establecido en el art. 105 en relación con el que dispone que "si el causante hubiera designado comisario ... mientras los bienes continúen en este estado, el cónyuge viudo, salvo disposición contraria del testador, será el único representante de la herencia y administrador de todo el caudal, en tanto no medie aceptación de la herencia por los sucesores designados" y el art. 40 que regula que "mientras no se difiera la sucesión y la herencia sea aceptada, será representante y administrador del causal la persona que el testador hubiera designado en el testamento ... a falta de designación, representará y administrará la herencia el cónyuge viudo y, en defecto de este, el propio comisario".

Así la Sentencia de 22 de diciembre de 2010 de esta Audiencia Provincial de Bizkaia ha dicho que "... resultando que consolidada la comunicación foral sin haberse dado aún ni su partición ni su adjudicación y no habiendo hecho uso del poder testatorio conferido a su favor la viuda, resulta que quien tiene la representación y administración de esa masa patrimonial, mientras no se de aquella y se use este, lo es la Comisaria, sin que el actor ostente ni la cualidad de heredero ni la de representante de la herencia yacente por más que sea hijo del fallecido, ya que aún no ha sido designado heredero no realizando acto alguno que evidencia su designación o consideración como tal".

No genera legitimación activa la mera expectativa de la actora de ser heredera, toda vez que en la cláusula segunda del testamento de su padre el poder testatorio a favor del cónyuge viudo se hace en favor de su hija y de los descendientes que esta pudiera tener, y ello con prórroga del plazo legal por todos los años que viviera su cónyuge, y termina por disponer que en tanto no haga uso del poder, retendrá la administración de los bienes relicto".

Incumplimiento contractual

Unidad de culpa

Caso 70

Resumen: Aun aplicando la teoría de la unidad de la culpa civil hay falta de legitimación activa para reclamar los daños por incumplimiento contractual.

Sentencia: AP Barcelona, Sec. 1.ª, 459/2022, de 27 de septiembre. Recurso 881/2021 (SP/SENT/1162460).

Argumentación jurídica: Responsabilidad contractual y extracontractual. Teoría de la unidad de la culpa civil.

La apelante fundamenta su recurso de apelación en la infracción del art. 1.902 CC en que habría incurrido la sentencia de primera instancia, ya que también invocó este precepto como fundamento de la demanda, amén de que regiría el principio de la unidad de la culpa civil. Por todo ello, considera que habría quedado acreditada su legitimación activa, y la relación de causalidad entre la actuación de la demandada y el daño sufrido por ella, que fue la directamente perjudicada porque era ella la titular de la línea telefónica y quien pagó las facturas.

La STS 1135/2008, de 22 de diciembre se refiere a la diferencia entre responsabilidad contractual y extracontractual, y al principio de la denominada unidad de la culpa civil, en los siguientes términos:

"la responsabilidad debe considerarse contractual cuando a la preexistencia de un vínculo o relación jurídica de esa índole entre personas determinadas se une la producción, por una a la otra, de un daño que se manifiesta como la violación de aquel y, por lo tanto, cuando concurren un elemento objetivo –el daño ha de resultar del incumplimiento o deficiente cumplimiento de la reglamentación contractual, creada por las partes e integrada conforme al artículo 1.258 CC– y otro subjetivo –la relación de obligación en la que se localiza el incumplimiento o deficiente cumplimiento ha de mediar, precisamente, entre quien causa el daño y quien lo recibe–" (STS de 31 de octubre de 2007, recurso de casación núm. 3219/2000). Es aplicable el régimen de la responsabilidad extracontractual, aunque exista relación obligatoria previa, cuando el daño no haya sido causado en la estricta órbita de lo pactado por tratarse de daños ajenos a la naturaleza del negocio aunque hayan acaecido en la ejecución del mismo (SSTS 22 de julio de 1927, 29 de mayo de 1928, 29 de diciembre de 2000). Por el contrario, es aplicable el régimen contractual cuando en un determinado supuesto de hecho la norma prevé una consecuencia jurídica específica para el incumplimiento de la obligación. No cabe excluir la existencia de zonas mixtas, especialmente cuando el incumplimiento resulta de la reglamentación del contrato, pero se refiere a bienes de especial importancia, como la vida o integridad física, que pueden considerarse objeto de un deber general de protección que puede traducirse en el principio llamado a veces doctrinal y jurisprudencialmente de unidad de la culpa civil.

En el ámbito del Derecho comunitario, el TJCE, al abordar la distinción entre la responsabilidad contractual y la extracontractual a los efectos de la aplicación de los reglamentos Roma I y Roma II (subrayando que el concepto de responsabilidad extracontractual es un concepto autónomo a los efectos de la aplicación de los reglamentos comunitarios independiente de los Derechos de los Estados miembros), considera como contractual "toda responsabilidad que no se derive o no se haya producido en el marco de una relación libremente establecida entre las partes o por una parte frente a la otra" (SSTJCE C-189/87, C-261/90, C-51/97, C-96/00; C-334/00; C-167/00)".

TERCERO. Caso de autos. Responsabilidad contractual.

El caso de autos, sin embargo, si nos atenemos a los hechos expuestos en la demanda, que es a los que debe estarse para resolver el litigio, sin olvidar su fundamentación jurídica, no es un supuesto en que por la vía de aplicar la teoría de la unidad de la culpa civil pueda obviarse la falta de legitimación activa que ha apreciado la sentencia de primera instancia.

La demanda se fundó claramente en la existencia de culpa contractual de la demandada. Se hace referencia a ese incumplimiento contractual en todos y cada uno de los Hechos de la demanda. Y, los hechos en que se funda ese incumplimiento, que no son otros que la demora en ir a reparar la incidencia, sin advertir siquiera de que se podría estar generando entretanto un coste elevado por las llamadas, encajarían en una responsabilidad plenamente contractual, con independencia de que, casi como cláusula de estilo, sin dotarla de ningún contenido, se citase también el art. 1.902 CC, pero siempre referido al daño que se decía causado a quien se alegó que era la titular del contrato de instalación y mantenimiento de la alarma, CUINES TM, S.L.

La cuestión aquí es esa, y no la de la naturaleza de la responsabilidad, que, de existir, sería pura y netamente contractual.

En la demanda se alegó que quien contrató con la demandada era CUINES TM, S.L., a través de su administrador único, Sr. Jesús Carlos, y como tal contratante, CUINES TM, S.L., reclamaba los daños sufridos como consecuencia del incumplimiento que imputaba a la demandada.

Sin embargo, ha quedado probado que no fue CUINES TM quien contrató, sino el Sr. Jesús Carlos, en nombre propio. Es el Sr. Jesús Carlos quien aparece como cliente de la demandada y titular del contrato, en todos los documentos derivados de la relación contractual, hallándose instalada además la alarma en su vivienda.

El art. 218.1 II LEC establece que "El tribunal, sin apartarse de la causa de pedir acudiendo a fundamentos de hecho o de derecho distintos de los que las partes hayan querido hacer valer, resolverá conforme a las normas aplicables al caso, aunque no hayan sido acertadamente citadas o alegadas por los litigantes".

La prohibición del cambio de demanda tiene su fundamento último en la prohibición de la indefensión que se contiene en el artículo 24 CE, pues si se permitiera al actor variar algún aspecto esencial de la pretensión –petición, "causa petendi" o los sujetos–, estaría limitando las posibilidades de defensa de la demandada o vulnerando el principio de igualdad de armas.

El Tribunal Supremo en S. de 18 de junio de 2012 dejó sentado que por " causa de pedir debía entenderse el conjunto de hechos jurídicamente relevantes para fundar la pretensión (SSTS 19-6-00 en rec. 3651/96 y 24-7-00 en rec. 2721/95), los hechos constitutivos con relevancia jurídica que constituyen condiciones específicas de la acción ejercitada (STS 16-11-00 en rec. 3375/95), o bien los hechos jurídicamente relevantes que sirven de fundamento a la petición y que delimitan, individualizan e identifican la pretensión procesal (SSTS 20-12-02 en rec. 1727/97 y 16-5-08 en rec. 1088/01)".

Por tanto, la causa de pedir tiene un componente jurídico que la conforma y sirve de límite a la facultad del juez de aplicar a los hechos el derecho que considere más procedente, esto es, limita el "iura novit curia". Este límite tiene fiel reflejo en el artículo 218 LEC, al disponer que el tribunal ha de resolver conforme a las normas aplicables al caso pero sin acudir a fundamentos de hecho o de derecho distintos de los que las partes hayan querido hacer valer. Sin embargo, la distinción entre el componente jurídico de la causa de pedir y la posibilidad de aplicar las normas jurídicas por el juez, "iura novit curia", no es siempre clara, o mejor, no siempre presenta unos contornos precisos. Por esta razón, nuestra actual jurisprudencia admite la posibilidad de un cambio en la calificación jurídica de los hechos en los supuestos de error o imprecisión de la parte, si bien este cambio debe extraerse de los propios hechos alegados y conformados, en cuanto han podido ser objeto de discusión sin alterar los términos del debate siempre que no haya podido causar indefensión a cualquiera de los litigantes (STS 550/2008, de 18 de junio).

En la posibilidad de aplicar las normas jurídicas que correspondiesen, aunque no hubieran sido acertadamente invocadas, se encuadraría la teoría de la unidad de la culpa civil. Pero, reiteramos, no es esa la cuestión que aquí se plantea. No estamos ante unos hechos que puedan calificarse como incumplimiento contractual o extracontractual. Ni la actora los califica erróneamente.

Estamos ante la alegación de un hecho, el de que la actora fue quien contrató con la demandada, del que se hacía depender la reclamación, y del que se ha de partir para resolver el litigio, que se ha demostrado incierto, y ahora no puede modificarse con el argumento de que también se alegó culpa extracontractual.

La causa de pedir de la actora era que en su condición de parte contratante resultó perjudicada por el incumplimiento de la demandada, y el cambio que ahora pretende, de que su condición de perjudicada, y, por tanto, su legitimación para reclamar con base en una supuesta culpa extracontractual, deriva de que fue ella quien pagó las facturas de teléfono, no es un simple cambio de calificación jurídica, sino de los hechos jurídicamente relevantes en que fundo su pretensión, lo que no resulta admisible.

La actora reclamó los daños y perjuicios derivados del incumplimiento de un contrato en que no fue parte, por lo que carece de legitimación, como acertadamente concluye la sentencia de primera instancia con base en el art. 1.257 CC, cuyos razonamientos hacemos nuestros, lo que ha de llevar a desestimar el recurso interpuesto.

Intervención provocada

Porque solo el cónyuge y sus herederos están legitimados para alegar la falta de consentimiento a los actos de disposición del otro cónyuge

Caso 71

Resumen: Falta de legitimación de los terceros, dado que no podían adherirse a la demanda, solo el cónyuge y sus herederos están legitimados para alegar la falta de consentimiento a los actos de disposición del otro cónyuge.

Sentencia: TS, Sala Primera, de lo Civil, 89/2011, de 24 de febrero. Recurso 1791/2007 (SP/SENT/543638).

Argumentación jurídica: El motivo único se introduce con la siguiente fórmula: Al amparo de lo previsto en el artículo 469.1.3.º LEC, se fundamenta el presente recurso en la infracción por el órgano de instancia, dicho sea con venia, de los artículos 12, 13 y 14 LEC, en relación con el artículo 1.322 CC, ya que, a pesar de reconocerse en el fundamento tercero [de la sentencia impugnada] que los accionistas Sres. Pascual y Sixto no podían adherirse al ejercicio de una acción de nulidad personal basada en el artículo 1.322 CC, por carecer de interés legítimo, y reconociéndose también, en dicha resolución judicial, no darse tampoco los supuestos del artículo 14 LEC, esta viene a considerarles partes demandantes con plena autonomía o sustantividad propia sin tener en cuenta que no pueden sumarse a una cotitularidad en el accionariado, por parte de la Sra. Irene, que es destruida por la meritada sentencia, habiendo sido denunciada dicha infracción en primera y segunda instancias.

Se alega, en síntesis, que desde la contestación a la demanda, la recurrente ha alegado la excepción de falta de legitimación activa no solo de la propia demandante sino también de los terceros adheridos a la demandante y también se alegó en el recurso de apelación la falta de legitimación de los adheridos, por lo que en contra de lo que declara la sentencia impugnada, la recurrente sí ha cuestionado la llamada de los terceros al proceso y procede que se declare la falta de legitimación de dichos terceros, dado que no podían adherirse a la demanda porque solo el cónyuge y sus herederos están legitimados para alegar la falta de consentimiento a los actos de disposición del otro cónyuge.

El motivo debe ser desestimado.

Intervención voluntaria

Caso 72

Resumen: La falta de legitimación activa de la demandante no podría quedar subsanada por la personación de intervinientes voluntarios en el trámite del recurso de apelación, por cuanto estos no ejercitan pretensiones en nombre propio.

Auto: AP Madrid, Sec. 28.ª, 16/2014, de 28 de enero. Recurso 338/2013 (SP/AUTRJ/830899).

Argumentación jurídica: La falta de legitimación *ad causam* es apreciable de oficio, como reiteradamente tiene declarado el Tribunal Supremo. A modo de botón de muestra cabe citar la sentencia de 22 de abril de 2013: "Según la STS de 15 de octubre de 2002 una extensa relación de resoluciones de esta Sala (de 30 de julio de 1999, 24 de enero de 1998 y 6 de mayo de 1997) establecen la diferencia entre la legitimación *ad processum* [para el proceso] y la legitimación *ad causam* [para el pleito] y la falta de esta última para promover un proceso, en cuanto afecta al orden público procesal, debe ser examinada de oficio, aun cuando no haya sido planteada en el período expositivo, ya que los efectos de las normas jurídicas no pueden quedar a voluntad de los particulares de modo que llegarán a ser aplicadas no dándose los supuestos queridos y previstos por el legislador para ello (SSTS 12 de diciembre de 2006, RC n.º 415/2000 y 13 de diciembre de 2006, RC n.º 257/2000)".

7. A tenor del artículo 206.1 del Texto Refundido de la Ley de Sociedades de Capital, para la impugnación de acuerdos sociales nulos están legitimados todos los socios, los administradores y cualquier tercero que acredite interés legítimo. Lógicamente, dicha norma de legitimación ha de entenderse trasladable a la solicitud de medidas cautelares que se justifique por una pretensión de ese tipo, como aquí sucede, lo que debemos entender referido no solo a la suspensión de los acuerdos controvertidos, sino al requerimiento a los liquidadores nombrados en virtud de tales acuerdos para que dejen de actuar como tales.

8. Debemos concluir, en consecuencia, que HERBASA carece de legitimación para impetrar la protección cautelar que aquí nos ocupa. Como señalamos en sentencia de 24 de septiembre de 2012, lo cierto es que la sociedad no puede considerarse a estos efectos como un tercero, por mucho que respecto a la constitución y celebración de las juntas entren en conflicto dos grupos enfrentados, traduciéndose en la existencia de juntas generales paralelas y las correspondientes impugnaciones cruzadas de los acuerdos adoptados en las mismas, pues de ello no surge un desdoblamiento de personalidad jurídica. De este modo, existe una sola sociedad, al margen de quién pueda representarla y, por lo tanto, no se pueden alterar ante un escenario como el que aquí opera como telón de fondo las normas relativas a la legitimación.

9. Siendo dicha falta apreciable de oficio conforme a la doctrina expuesta con anterioridad (cabría añadir, por su referencia a la legitimación activa en particular, la cita de las sentencias del Alto Tribunal de 15 de noviembre de 2011, 20 de marzo de 2012 y 22 de abril de 2013, entre otras), se impone por esta sola circunstancia el rechazo de las medidas en su día solicitadas, lo cual habría de traducirse, alcanzado el trámite en el que nos encontramos, en el rechazo del recurso.

10. Dicha valoración no se ve alterada por la entrada en el proceso, como intervinientes voluntarios, de D. Victorio y D. Jesús María (situación que, a falta de resolución expresa al respecto en las actuaciones, cabría entender admitida como consecuencia de lo que pudiera haberse acordado en el pleito principal, a la luz de las circunstancias apuntadas en el apartado 5 y de la falta de reparos por parte de los demandados). Resulta ilustrativa a este respecto la sentencia del Tribunal Supremo de 9 de diciembre de 2012, al señalar que la falta de legitimación activa de la demandante no podría quedar subsanada por la personación de intervinientes voluntarios en el trámite del recurso de apelación, por cuanto estos no ejercitan pretensiones en nombre propio y porque, cuando intervienen, las pretensiones ya están fijadas, por lo que cualquier cambio sobre el particular daría lugar a una *mutatio libelli*. Tal pauta resulta plenamente aplicable al caso que nos ocupa, toda vez que tan solo después de haberse dictado, a pesar del déficit de legitimación apuntado, auto estimando las medidas interesadas en la solicitud inicial, y de haberse seguido el trámite marcado al ulterior incidente de oposición, es cuando se produce la entrada de los intervinientes en el procedimiento, siendo su primera actuación la interposición de recurso de apelación contra el auto resolviendo la oposición.

11. Debemos añadir que apreciamos también una falta de legitimación pasiva por parte de D. Alonso, D.ª Dolores y D.ª Guillerma, contra los que se dirigió la solicitud de medidas cautelares.

12. En efecto, el artículo 206.3 del Texto Refundido de la Ley de Sociedades de Capital establece que las acciones de impugnación de acuerdos sociales deberán dirigirse contra la sociedad. Solo la sociedad resulta afectada por el pronunciamiento, debiendo excluirse la legitimación de aquellos al que el mismo únicamente afecta de manera indirecta, como los liquidadores en este caso. En definitiva, solo la sociedad puede resultar demandada cuando se ejercitan ese tipo de pretensiones, lo que ha de entenderse trasladable, como dijimos, a la solicitud de medidas cautelares vinculada.

Caso 73

Resumen: La falta de legitimación del litisconsorte no debe impedir el sostenimiento de la acción por el tercero, evitando con ello que quien es titular de una acción para cuyo debate se abrió un proceso se vea obligado a iniciar otro proceso.

Sentencia: AP Valencia, Sec. 6.ª, 287/2013, de 24 de mayo. Recurso 183/2013 (SP/SENT/737114).

Argumentación jurídica: Los terceros, legitimados en virtud de su propio derecho, podían comparecer en juicio sin necesidad de llamada alguna, como parte a todos los efectos y a continuar en él con independencia de la conducta procesal de la demandante, según establece el artículo 13.3 LEC. Negarles este derecho comporta una vulneración de su derecho a la tutela judicial efectiva, al relegarlos a una posición de parte accesoria que la ley no admite. En consecuencia, la falta de legitimación del litisconsorte no debe impedir el sostenimiento de la acción por el tercero, evitando con ello que quien es titular de una acción para cuyo debate se abrió un proceso se vea obligado a iniciar otro proceso.

4. La situación que se examina es semejante a la que se hubiera dado si, promovido un proceso independiente por los terceros, se hubiera procedido a su acumulación con el promovido por la demandante, situación en la que la falta de legitimación para formular una de las demandas acumuladas no impide continuar con la tramitación de las demás.

Procesos arrendaticios y de desahucio

I. Desahucio por precario

A) Por tener la condición de nudo propietario

Caso 74

Resumen: El usufructuario tiene la posesión inmediata de la finca, y el propietario tiene las facultades que no perjudican el derecho de usufructo, entre las que no se encuentra el ejercicio de la acción de exclusión de la posesión del precarista.

Sentencia: AP La Rioja, Sec. 1.ª, 108/2017, de 22 de junio (SP/SENT/915460).

Argumentación jurídica: El nudo propietario carece de la posesión inmediata del bien y del derecho a disfrutarlo, y solo conserva una titularidad latente y el derecho a disponer, siempre que no lo hubiera transmitido también. El único que puede dar en precario, esto es, tolerar graciosamente el uso y disfrute de la cosa por un tercero sin pagar merced, es aquel que por ser titular de ese derecho de uso y disfrute, puede tolerar o autorizar ese uso de aquel tercero. Y ese no es otro que el usufructuario, pero no el nudo propietario quien, al no ostentar uso y disfrute, ni está legitimado para tolerar el uso por tercero sin autorización del usufructuario, ni tampoco para ejercitar la acción de desahucio por precario. Es más, incluso se ha reconocido al usufructuario el derecho de ejercitar acción de desahucio por precario contra el nudo propietario, vid. Sentencia de la Audiencia Provincial Barcelona, de 30 de septiembre de 2014).

En definitiva, declaran que la nuda propiedad no es título eficaz para amparar la pretensión de desahucio por precario las Sentencias de la Audiencia Provincial de Albacete 10 de octubre 1974, AP Lérida 8 marzo 1976 SAP Burgos 6 octubre 1976, SAP Palma de Mallorca, Sec. 3, 4-10-2011, SAP Palma de Mallorca, Sec. 3, 14-7-2006; Barcelona (4.ª) 6-11-2013, Las Palmas (3.ª) 3-7-2013, entre otras.

Podrá decirse que al nudo propietario no le es irrelevante la existencia de un precarista, que incluso podría ostentar una *posessio ad usucapionem* y adquirir así el dominio por el mero transcurso del tiempo, pero la condición de nudo propietario le deja fuera del círculo de los legitimados para el ejercicio de este cauce procesal especial, previsto en el art. 250.1.2 de la Ley de Enjuiciamiento Civil.

El usufructuario es quien tiene la posesión inmediata de la cosa; el nudo propietario podrá realizar actos de conservación, obras de mejora, o incluso enajenar los bienes o imponer servidumbres, siempre que no perjudiquen el derecho de usufructo, pero entre estas facultades no está la de ejercer la acción de exclusión de la posesión del precarista. Por tal motivo consideramos que estamos ante una cuestión de legitimación activa, cuya ausencia determina la desestimación de fondo de la demanda.

En este sentido, la Sentencia de la Audiencia Provincial de Alicante sección 5 de 09 de febrero de 2017 (ROJ: SAP A 80/2017 - ECLI:ES:APA:2017:80) razona: para ejercitar los derechos derivados de contrato de arrendamiento la legitimación activa corresponde al usufructuario, no a los nudos propietarios, ya que en aquel recaen los derechos de uso y disfrute de los que es titular, según tiene declarado este Tribunal en sentencias de 2 de diciembre de 2009 y 18 de febrero de 2010 así como el Tribunal Supremo en sentencia de 20 de enero de 2014, pues dicha legitimación para promover los juicios de desahucio recae, a tenor del artículo 250.1.2.º de la Ley de Enjuiciamiento Civil, en los que tengan la posesión real de la finca a título de dueños, de usufructuarios o cualquier otro que les dé derecho a disfrutarla, y sus causahabientes. Obviamente, por posesión real no hemos de entender la posesión directa de la cosa, pues precisamente cualquier acción de desahucio se dirige contra el poseedor material e inmediato, por lo que, en realidad, debe exigirse en el título del demandante la facultad de disfrutar o poseer el bien, de una forma directa o indirecta. Además, en caso de que el dominio esté dividido, la jurisprudencia estima que el nudo propietario solo estará legitimado para promover esta acción en unión del usufructuario, ya que el nudo propietario tiene como único derecho el de disposición, con las limitaciones derivadas del artículo 489 del Código Civil, y como expectativa la de consolidar en su persona el dominio pleno una vez se extinga el usufructo, careciendo por el contrario de las facultades de goce y disfrute de la cosa usufructuada, que son titularidad exclusiva del usufructuario (artículo 467 del Código Civil), por lo que la jurisprudencia menor declara con total unanimidad que, carente el nudo propietario de aquellas facultades de uso y disfrute, la nuda propiedad no es título eficaz para amparar la ocupación y excluir la consideración del nudo propietario como mero ocupante a precario frente a la usufructuaria, que es la única titular de derecho exclusivo a poseer (Ss AP Albacete 10 de octubre 1974, AP Lérida 8 marzo 1976, AP Burgos 6 octubre 1976 y AP Las Palmas, sec. 5.ª, 27-11-2003).

B) Por tener la condición de legatario

Caso 75

Resumen: Los demandantes, en cuanto legatarios de la legítima estricta, no ostentan legitimación para instar acción de desahucio por precario frente al coheredero que ocupa la vivienda al carecer de titularidad dominical sobre los bienes hereditarios.

Sentencia: TSJ Galicia, Sala de lo Civil y Penal, Sec. 1.ª, 8/2018, de 9 de mayo (SP/SENT/964112).

Argumentación jurídica: QUINTO. Regula la Ley de derecho civil de Galicia de 2006 en el capítulo V del Título X las legítimas (artículos 238 a 269). El artículo 240 determina la posibilidad de que el legitimario reciba lo que le corresponda por cualquier título; el artículo 245 fija la facultad de que esa atribución haya tenido lugar por donación; el artículo 244 admite igualmente el evento de que mediante la apartación se haya procedido a la entrega del valor en que la legítima consiste pues tal valor ha de ser ponderado a la hora de fijación del caudal del causante para el cálculo de las legítimas. El artículo 246 permite a los herederos satisfacer a los legitimarios su derecho bien en metálico bien en bienes de la propia herencia. El artículo 249 rechaza expresamente que el legitimario tenga acción real, atribuyéndole exclusivamente la condición de acreedor. Esta posición presenta la peculiaridad de que como tal acreedor, a diferencia de un acreedor ordinario, está legitimado para ejercitar una acción mediante la cual se proceda a la formalización de inventario y avalúo de los bienes hereditarios a los efectos de determinar exactamente la cuantía de su derecho, tal y como previene el artículo 249.2.

Con arreglo a los preceptos anteriores, es incuestionable que el legitimario, desde esa mera condición, no tiene en modo alguno la condición de heredero (sobre la distinción conceptual de heredero y legitimario ya se pronunció la Sala, siquiera tangencialmente, en la sentencia de 24 de abril de 2012), no es cotitular de los bienes hereditarios, no forma parte de la comunidad hereditario y simplemente ostenta un derecho a percibir un valor que podrá ser materializado en bienes de la herencia o en metálico. Carece de cualquier titularidad dominical sobre los bienes hereditarios y, por consiguiente, no dispone de legitimación para el ejercicio de acciones de contenido real sobre los bienes de la herencia. Adviértase que la posibilidad de que la legítima sea satisfecha en metálico es cuestión que queda a criterio de los herederos y que en ningún momento se exige por la norma que tal determinación sea causalizada pues queda a su mera conveniencia o interés, reforzando de esa manera la perspectiva de que el legitimario ostenta la condición de mero titular de una acción de carácter personal.

La acción de desahucio por precario tiene naturaleza real, no personal, Están legitimados para su ejercicio todos aquellos que ostenten sobre la cosa un derecho de contenido real, incluso puede admitirse los que tengan un derecho de uso y disfrute de la cosa, pero siempre y en todo caso una especial relación con la cosa objeto del desahucio, un vínculo jurídico determinante de legitimación para la recuperación posesoria. No puede obviarse que con la acción de desahucio se ejercita, en cierto modo, la reivindicación de la cosa frente a quien la posee sin título para ello, acción por consiguiente de naturaleza real cuya titularidad la ostenta quien es titular de un derecho de esa clase. Cabe preguntarse, en consecuencia, si los demandantes ostentan algún derecho sobre la finca cuya detentación por el demandado cuestionan. La respuesta es negativa, no ostentan absolutamente ningún derecho sobre la misma. No forman parte de la comunidad hereditaria de D. Luis de tal modo que son terceros ajenos a los bienes que integran esta y por ello carecen de legitimación para el ejercicio de acciones que tengan por objeto aquellos, como la que ahora se ha planteado. Son, simplemente, acreedores del heredero en cuanto titulares de un crédito por el valor equivalente a su derecho legitimario.

La sentencia impugnada, en cuanto otorga legitimación a los legitimarios para el ejercicio de una acción real de desahucio por precario, quebranta el artículo 249.1 de la Ley de derecho civil de Galicia de 2006 por lo que debe ser casada y en su virtud es procedente la desestimación de la demanda por carecer de legitimación los actores para el ejercicio de la acción deducida.

Caso 76

Resumen: La legataria del inmueble no puede ejercer la acción de desahucio hasta que no se le entregue el bien legado.

Sentencia: AP Badajoz, Sec. 2.ª, 119/2016, de 12 de abril (SP/SENT/855322).

Argumentación jurídica: El recurso que se examina solo puede prosperar en parte porque, en lo que se refiere a su petición principal, de que se estime íntegramente la demanda de desahucio, esta Sala coincide con el Juzgador " a quo" en que, en el momento actual, D.ª Isabel no está legitimada para el ejercicio de la acción de desahucio por precario frente a su hermano Dionisio pues no existe aún partición de la herencia de la madre de ambos D.ª Raquel, encontrándose en suspenso el procedimiento para la partición judicial de la dicha herencia, por lo cual no puede aquella, como legataria de la vivienda respecto de la que se solicita el desahucio tomar posesión por sí misma de tal legado, sino que tiene que pedir esa posesión a los herederos o, en su caso, al albacea (Arts. 1.025 y 885 cc), aun cuando, en efecto, la dicha D.ª Isabel haya sido instituida también heredera de 1/6 indivisa de los bienes de la herencia no legados expresamente.

Como bien dice el demandado, al resultar que aún no está terminando el inventario de la repetida herencia, la legataria no puede pedir la entrega del legado (del albacea o del resto de herederos) hasta la finalización de aquella fase y posterior partición y tampoco puede entrar por sí misma en la posesión del bien legado.

Caso 77

Resumen: Sin la liquidación de gananciales, ni la partición de la herencia y sin que la viuda haya elegido su legado, la hija, legataria de la parte de la vivienda correspondiente al padre, no está legitimada para ejercer la acción de desahucio por precario.

Sentencia: AP Madrid, Sec. 13.ª, 496/2009, de 10 de noviembre (SP/SENT/493256).

Argumentación jurídica: A tenor de la doctrina que acabamos de exponer el presupuesto esencial legitimador para el ejercicio de la acción de desahucio por precario es que el demandante sea el dueño o el poseedor legítimo, por cualquier otro título distinto de la propiedad, de la cosa detentada, sin que el demandado tenga derecho a poseer o si lo tiene lo sea de inferior condición.

Dña. Bárbara, según el testamento realizado por su padre, solo es legataria de la parte que a aquel le pueda corresponder del piso NÚM000 de la casa número NÚM001 de la DIRECCIÓN000 de Madrid, que, dada la sujeción del matrimonio que aquel tenía constituido con su esposa Dña. Laura al régimen legal de gananciales, se concreta en una cuota abstracta del cincuenta por ciento, cuya definitiva atribución y determinación en una parte específica requiere la previa liquidación de la sociedad ganancial, pues solo una vez realizadas las operaciones a que se refieren los artículos 1.399 a 1.408 del Código Civil puede conocerse cual sea el haber efectivamente partible y, por tanto, consumarse, en su caso, la adquisición dominical del legatario a que se refiere el artículo 882 del Código Civil, a través de la pertinente partición de la herencia, ya que es conocida la jurisprudencia que declara que el testamento por sí solo no transmite la propiedad, siendo precisa la partición, salvo el supuesto de heredero único en el que aquel es título traslativo del dominio sin necesidad de practicar esta —Sentencias del Tribunal Supremo de 15 de diciembre de 2003, 26 de febrero de 2004 y 4 de mayo de 2005—.

En definitiva, la partición es indispensable para obtener el reconocimiento de la propiedad sobre bienes determinados, como garantía de que, concurriendo varios legitimarios en la herencia, no se perjudique el derecho de ninguno de ellos.

Pero es que, además, en este caso, la posesión legítima, material y directa, de la vivienda litigiosa no pertenece, ni siquiera en la parte a que se refiere el legado, a la demandante, sino a su madre Dña. Laura, a tenor de lo dispuesto por el testador en el sentido de conceder a esta el legado del usufructo universal y vitalicio de toda su herencia, en el caso de que no optara por el legado comprendido en el apartado b) de la Disposición Primera del testamento que otorgó el 28 de marzo de 2005, ni manifestara nada en contrario.

Así pues, sin liquidación de la sociedad de gananciales en su día constituida por sus padres, sin partición de la herencia de D. Abelardo y sin que conste que su madre ha optado por el segundo legado, Dña. Bárbara, por si sola, carece de la precisa legitimación causal para el ejercicio de la acción de desahucio por precario, siendo acertada la desestimación de la demanda en la sentencia de primera instancia.

C) Por exclusión en el caso de coherederos

Caso 78

Resumen: El ejercicio de la acción de desahucio frente a un coheredero en provecho exclusivo del actor, pretendiendo su uso exclusivo y excluyente, contraviene el fundamento de la misma.

Sentencia: AP Málaga, Sec. 5.ª, 679/2020, de 30 de diciembre (SP/SENT/1105544).

Argumentación jurídica: ejercitar la acción de desahucio frente a un coheredero o comunero en provecho exclusivo del actor, pretendiendo su uso exclusivo y excluyente, contravendría el fundamento de la acción, pues incurriría en la misma posesión exclusiva, por lo que lo relevante no es que en la demanda se diga expresamente que se actúa en nombre e interés de la comunidad, sino que el fundamento material de la acción, en caso de prosperar, redunde en beneficio y provecho de la comunidad a la que pertenecen los demandantes y la demandada.

Caso 79

Resumen: No se encuentra legitimado uno de los dos coherederos para desahuciar al otro actuando en beneficio de la herencia yacente cuando este se haya en idéntica situación, por ser contrario a la buena fe.

Sentencia: AP Valencia, Sec. 7.ª, 91/2018, de 5 de marzo (SP/SENT/950584).

Argumentación jurídica: En el caso que se enjuicia la cuestión a resolver es si el demandante, D. Sabino, está legitimado para instar la demanda de desahucio por precario contra su hermano, D. Ángel Jesús, que ocupa la vivienda litigiosa, siendo ellos los únicos herederos y estando pendiente la liquidación de gananciales y las particiones de sus respectivas herencias.

La falta de legitimación activa de D. Sabino debe examinarse desde la perspectiva de si puede intervenir en beneficio de la comunidad hereditaria. Se ha indicado que solo hay dos herederos, existe una disposición testamentaria que dispuso que a su fallecimiento se adjudicaran a cada uno de los herederos un determinado inmueble que ambos están ocupando, por otro lado, la disposición testamentaria de D.ª. Eulalia restringe el derecho hereditario de D. viene a la legítima estricta, por lo que es necesario que se practique la partición en la que previamente habrá que liquidar los gananciales, por lo que no se estima que la acción redunde en beneficio de la comunidad hereditaria. En efecto, ya se ha indicado, si D. Sabino posee la vivienda de la CALLE001 n.º NÚM002, no es admisible que pretenda el desahucio de su hermano de la vivienda en CALLE000 n.º NÚM000 cuando en ambos concurren idénticas circunstancias en relación a las herencias de sus padres, y aun no tienen un título valido de posesión, sin embargo, de conformidad con los principios que rigen el ordenamiento jurídico, entre ellos, la buena fe, artículo 7-1 y 2 del CC, no es admisible que sin estar partida la herencia se intente desahuciar al demandado, pues si la causa es la posibilidad de generar rentas, también la tiene la ocupación del inmueble de la CALLE001 n.º NÚM002. Por tanto, no se reconoce que el demandante intervenga en beneficio de la comunidad hereditaria.

D) Por exclusión de la condición de heredero ***ab intestato*** en aplicación del Derecho gallego

Caso 80

Resumen: Falta de legitimación activa del codemandante en el desahucio por precario: se había realizado válidamente la apartación conforme a los arts. 224 y 226 LDCG, que prevén la exclusión de la condición de heredero forzoso y del llamamiento intestado.

Sentencia: AP Pontevedra, Sec. 1.ª, 560/2022, de 16 de septiembre. Recurso 172/2022 (SP/SENT/1161310).

Argumentación jurídica: Los dos demandantes ejercitan acción de desahucio por precario contra sus otros tres hermanos Encarnación, Estela y Federico, en relación con la comunidad hereditaria de sus fallecidos padres Encarnación y Marcelino cuyas herencias permanecen indivisas. A pesar de ello, según la parte actora, los demandados utilizan de modo exclusivo y excluyente bienes de la citada comunidad sitos en Caldas de Reis, en concreto Federico el inmueble de la CALLE000 n.º NÚM000; Estela el inmueble de la CALLE000 n.º NÚM001; Encarnación ocupa un bajo del inmueble sito en la CALLE001 n.º NÚM002 y su hija (la codemandada Sofía) el inmueble de la CALLE000 n.º NÚM003 por cesión de sus abuelos, disfrutando de esos bienes de la herencia sin abonar renta ni merced.

La sentencia de instancia desestima la demanda.

Aprecia la falta de legitimación pasiva del codemandante Ernesto, dado que su esposa, actuando en su representación facultada por poder para "aceptar la apartación", procedió a llevar a cabo tal acto, pactando que quedaba excluido en las herencias del llamamiento por sucesión intestada, sin que haya constancia de que dicha escritura hubiese sido impugnada por el demandante o que haya instado la ineficacia que ahora se invoca al no haber accedido al Registro de Actos de Últimas voluntades.

Admitiendo el Derecho Civil de Galicia expresamente la exclusión del apartado en virtud de pacto incorporado al negocio de apartación de su condición de heredero ab intestato, lo que según la sentencia de instancia ocurre en este caso en que el pacto de exclusión se incorpora al pacto de apartación, el actor quedó excluido de las herencias de sus padres tanto como heredero forzoso como por sucesión intestada y en consecuencia carece de legitimación activa para ejercitar la acción en este procedimiento al no formar parte de la comunidad hereditaria de aquellos.

El primer motivo del recurso impugna la falta de legitimación activa del codemandante Ernesto apreciada por la sentencia de instancia, cuestionando la parte apelante la validez de la apartación de 13 de febrero de 2007 al no haberse realizado según lo establecido en el art. 212 LDCG, sin poder o falta de representación para extender la apartación a la pérdida de la condición de heredero ab intestato, por vulnerar la no imposición de gravámenes o condiciones que resulten incompatibles contra lo dispuesto en los arts. 241 LDCG y 813 CC, o por vulnerar normas imperativas relativas a las que impiden a los notarios autorizar una escritura sin exigir la previa licencia de segregación, como requisito previo para la segregación de suelo rústico.

Sin embargo, es lo cierto que nos encontramos ante una apartación aparentemente válida y plenamente legal, realizada conforme a lo dispuesto en los arts. 224 y 226 LDCG, que prevén no solo la exclusión de la condición de heredero forzoso sino también del llamamiento intestado. El pacto de apartación consiste en que a cambio de la transmisión de presente de bienes concretos se excluye al apartado y su linaje de la condición de legitimario en la herencia del aportante y, si se pacta, también de su sucesión intestada.

Argumentar defectos de representación al realizarse por poder al cónyuge o vulneraciones de la legítima, que tiene sus acciones de defensa que no tienen que determinar la nulidad de la apartación, o la vulneración de normas imperativas que en realidad no lo son, resultando totalmente accesorias al objeto del contrato, no pueden ser admitidas para pretender la nulidad de un contrato por una de las partes que invoca defectos en su caso precisamente a ella imputables, alguno de ellos, y que durante 14 años no ha cuestionado promoviendo la nulidad de dicho pacto sucesorio, procediendo ahora contra sus propios actos, lo que es contrario al principio de la buena fe que el art. 7.1 CC exige para el ejercicio de los derechos.

E) Por oposición del resto de los comuneros que no están de acuerdo con el ejercicio de la acción

Caso 81

Resumen: Falta de legitimación activa para formular desahucio por precario, puesto que el resto de comuneros, titulares de la participación mayoritaria, no están de acuerdo con el ejercicio de la acción por el demandante.

Sentencia: AP A Coruña, Sec. 4.ª, 239/2017, de 28 de junio. Recurso 323/2017 (SP/SENT/914949).

Argumentación jurídica: Sobre la falta de legitimación activa del actor.

No ofrece duda que es criterio reiterado de la jurisprudencia el que viene sosteniendo que cualquiera de los comuneros puede ejercitar acciones en beneficio de la comunidad, sin el auxilio procesal expreso del resto de los copropietarios. En este sentido, entre otras muchas, podemos citar las SSTS de 15 enero 1988. Falta de legitimación *ad causam*: puede ser apreciada de oficio. Cualquiera de los condóminos puede ejercitar acciones en beneficio de la comunidad. y 18 diciembre 1989, 9 de febrero, 28 octubre y 13 diciembre 1991, 8 abril, 15 de julio y 6 noviembre 1992, 22 mayo 1993, 14 marzo 1994. Cualquiera de los condóminos puede ejercitar acciones en beneficio de la comunidad, 6 junio 1997. Cualquiera de los condóminos puede ejercitar acciones en beneficio de la comunidad. 7 diciembre 1999, 14 de octubre de 2004 o más recientemente 460/2012, de 13 de julio y 143/2013, de 4 de marzo.

Ahora bien, ello es así siempre que el resultado positivo de la acción sea evidentemente beneficioso para todos y no exista especial oposición de alguno de los copropietarios (STS 143/2013, de 4 de marzo), ya que en tal caso cuál sea el interés de la comunidad no le corresponde determinarlo a uno solo de ellos por la única circunstancia de ejercitar acciones judiciales, sino al conjunto de los comuneros.

Como señala la STS 460/2012, de 13 de julio, el reconocimiento de tal legitimación se fundamenta en una presunción de aceptación y conformidad del resto de los comuneros que lógicamente se asienta en la previsión de una sentencia favorable a los intereses comunes, que sin embargo no puede extenderse a los supuestos en que el éxito de la acción ejercida —extinción de contrato de arrendamiento en el caso litigioso— no ha de suponer necesariamente un beneficio para la comunidad, máxime cuando, como ocurre en el caso presente, los copropietarios se han opuesto expresamente en el proceso a dicha extinción.

En consecuencia, como razona esta última sentencia de nuestro más Alto Tribunal "para demandar válidamente sería necesario un previo acuerdo entre los comuneros que habilitara a alguno de ellos para actuar en juicio o, en su caso, que tal actuación reuniera a la mayor parte de los intereses de la comunidad. En caso contrario, como nadie puede ser obligado a demandar, no cabe plantear la existencia de una situación de litisconsorcio activo necesario, pero sí la de la falta de legitimación a que se refiere el artículo 10 de la Ley de Enjuiciamiento Civil al no resultar quien actúa titular "de la relación jurídica u objeto litigioso".

La sentencia núm. 989/2007, de 3 octubre. La figura doctrinal del litisconsorcio activo necesario, afirma que la figura doctrinal del litisconsorcio activo necesario no está prevista en la Ley y no puede equipararse al litisconsorcio pasivo necesario, impuesto en su acogimiento jurisprudencial incluso de oficio, en defensa del principio de que nadie puede ser condenado sin ser oído. A lo que añade que «a este efecto, como quiera que nadie puede ser obligado a litigar, ni solo, ni unido con otro, la consideración de que la disponibilidad del sujeto demandante sobre el objeto de la demanda no puede ejercitarse sino en forma conjunta o mancomunada con otro sujeto, se traduciría en una falta de legitimación activa, que como tal carecería de un presupuesto preliminar a la consideración de fondo, pero basado en razones jurídico-materiales, lo que debe conducir a una sentencia desestimatoria».

Esta es la situación que se aprecia en el presente proceso, en el cual ha figurado como parte demandante quien por sí no estaba facultado para interponer el presente procedimiento de desahucio por precario, toda vez que el resto de los comuneros, titulares de la participación mayoritaria en la comunidad no están de acuerdo con el ejercicio de la presente acción de desahucio, por entender que el mantenimiento del vínculo arrendaticio conforma el interés de la comunidad, que se podría ver amenazo por la reducción del objeto del contrato.

Es evidente que el actor sin atacar o interpelar judicialmente a sus hermanos carece de legitimación *ad causam* para promover la presente acción judicializada, lo que conduce a la ratificación de la sentencia apelada por sus propios fundamentos. No cabe atribuirse la atribución del ejercicio de una acción en beneficio de la comunidad cuando está se ha manifestado en sentido contrario.

No nos hallamos pues ante un caso de litisconsorcio pasivo necesario sino de falta de legitimación activa.

F) Por haber vendido la vivienda con anterioridad al ejercicio de la acción

Caso 82

Resumen: Falta de legitimación activa de la actora para que prospere el desahucio por precario puesto que la vivienda de su propiedad ya había sido vendida como acredita el documento de compraventa.

Sentencia: AP Asturias, Gijón, Sec. 7.ª, 404/2015, de 6 de noviembre. Recurso 324/2015 (SP/SENT/843691).

Argumentación jurídica: Comenzando por razones sistemáticas por la falta de legitimación activa de D.ª. Enriqueta, por entender que la vivienda de su propiedad ya ha sido vendida, tal como consta reflejado en el Auto de medidas provisionales coetáneas del matrimonio formado por D. Calixto y D.ª Soledad, se hace constar en su fundamento jurídico que "la vivienda familiar ha sido vendida y vivían en precario...".

"... En principio la afirmación contenida en el Auto de medidas provisionales de fecha 13 de febrero de 2015 de que dicho domicilio familiar está vendido, resultaría por sí misma insuficiente para desvirtuar la legitimación de la ahora demandante; pero debe tenerse en cuenta que en la propia demanda se acompaña un contrato privado denominado de "Compraventa. Arras penitenciales" de fecha 18 de noviembre de 2014 en el que D. Miguel y D.ª. Enriqueta representada por D. Carlos Antonio, venden a D. Urbano y D.ª Esperanza la referida finca por un precio de 210.000 euros, entregándose en dicho acto y en concepto de arras penitenciales la cantidad de 6.000 euros y la cantidad restante a la fecha del otorgamiento de la escritura pública de compraventa, antes del día 10 de febrero de 2015, constando asimismo que la entrega de la posesión de la finca libra de cargas, hipotecas, arrendamientos y ocupantes coincidirá con el otorgamiento de la referida escritura. En el hecho tercero de la demanda se hace constar que es en dicho contrato de compraventa "donde se reflejan los términos acordados y, por consiguiente, el grave detrimento económico que supondrá para los propietarios si no resulta posible su consecución definitiva" y la demanda se presenta en fecha 11 de febrero de 2015, es decir finalizado el plazo para el otorgamiento de la escritura pública. Aun cuando en el acto de la vista el Letrado de la actora negase que se hubiese llevado a cabo el otorgamiento de la escritura pública de compraventa del inmueble, dicha alegación debe entenderse como insuficiente, al haberse cuestionado dicha legitimación, y ser dicha parte quien aportó el citado documento privado, debía haber acreditado que la citada transmisión no había llegado a producirse, precisamente por estar ocupada la finca por la demandada, máxime cuando consta en la resolución judicial de las medidas provisionales del divorcio que se había producido la venta del inmueble, razón por la que esta Sala entiende que debe estimarse el recurso de apelación, con la consiguiente revocación de la Sentencia de instancia y desestimación de la demanda formulada.

G) Por haberse atribuido a la esposa, cotitular, la posesión de la vivienda tras el divorcio

Caso 83

Resumen: Falta de legitimación activa de copropietario surgido de disolución de gananciales por divorcio para interponer demanda de desahucio por precario contra su hijo, siendo además que la posesión se atribuyó judicialmente a su exesposa.

Sentencia: AP Las Palmas, Sec. 3.ª, 669/2012, de 4 de diciembre. Recurso 582/2010 (SP/SENT/718622).

Argumentación jurídica: El recurso debe ser desestimado y ello por cuanto las razones aducidas por el apelante no desvirtúan los argumentos del Juzgador que, por ser ajustados a derecho se dan por reproducidos:

Alega, en primer lugar, que es cotitular, conjuntamente con su esposa, de una mitad del inmueble y que la otra mitad le pertenece exclusivamente pues es la herencia de su finado padre, por lo que concluye, tiene, al ostentar la mayoría, legitimación activa suficiente para dispones sobre la administración de los bienes. El argumento no se sostiene pues, en primer término, ninguna prueba aportó, pues no fue objeto de alegación en su demanda, sobre la herencia que dice haber recibido; en segundo lugar porque en el supuesto de que hubiera heredado de su padre este era propietario de la mitad del suelo no constando en las actuaciones que hubiera ejercitado su derecho de opción (art. 361 LEC); y, en tercer lugar, por cuanto el beneficio de la comunidad, como señala la propia parte apelante, constituye el presupuesto necesario para poder reconocer la legitimación de uno solo de los comuneros para el ejercicio de las acciones que corresponden a la comunidad y, en el presente caso, del propio tenor del suplico del escrito de demanda el actor expresa, y literalmente interesa, la condena del demandado a que deje libre y a disposición del actor —y no de la comunidad de propietarios que este forma con su exmujer—; es decir, se solicita la tutela jurídica únicamente en provecho exclusivo del actor.

En segundo término, se alega, que el demandado ostenta la condición de precarista sin embargo, aun cuando ello fuera así, su falta de legitimación "ad causam" impide que prospere su petición no debiéndose olvidar que la atribución del uso de la vivienda le fue concedida a su exmujer y tal uso aún no ha sido dejado sin efecto por lo que la disponibilidad de dicha vivienda, en cuanto a su uso, le corresponde de manera exclusiva a ella tal y como así señala la sentencia dictada por el Pleno de la Sala de TS de 14 de enero de 2010, al señalar que: el derecho al uso de la vivienda familiar concedido en sentencia, en el ámbito del derecho de familia, no es un derecho real, sino un derecho de carácter familiar cuya titularidad corresponde en todo caso al cónyuge a quien se atribuye la custodia de los hijos menores o a aquel que se estima, no habiendo hijos, que ostenta un interés más necesitado de protección el actor". Y frente a ello no puede argumentarse, como así lo hizo el actor en su demanda, que la vivienda, sobre la que se ejercita la acción, es distinta a aquella cuyo uso le fue atribuido a la exesposa, pues ninguna prueba aportó que acreditara tal extremo. Que la documental que aportó refiera que el edificio consta de cuatro viviendas ello no implica que estas sean independientes pues si así lo fueran al hacerse la atribución del uso de la vivienda a la exesposa, en el convenio regulador, habrían identificado cuál o cuáles de las cuatro eran objeto de atribución y si no se hizo así es porque, en principio, configuraban las mismas una solo vivienda, explicación esta que se ve reforzada por el hecho de que el actor, desde la firma del convenio regulador (el 20/9/2006), hasta la presente demanda (17/2/2009) no consta haya hecho, ni haya intentado, ningún acto de administración sobre la referida vivienda.

H) Por nulidad de la compraventa y no existir donación alguna según se afirma en sentencia

Caso 84

Resumen: Falta de legitimación activa para ejercer acción de desahucio por precario al carecer de título el actor por nulidad de compraventa e inexistencia de donación.

Sentencia: AP Sevilla, Sec. 6.ª, 430/2012, de 6 de noviembre. Recurso 3526/2012 (SP/SENT/718446).

Argumentación jurídica: Mediante la prueba documental aportada en esta segunda instancia ha resultado probado que se seguía juicio ordinario con el n.º 1739/09 ante el Juzgado de Primera Instancia n.º 11 de Sevilla en el que se pretendía por D.ª Agustina la declaración de nulidad de la escritura de compraventa de fecha 18 de octubre de 2004 otorgada por D.ª Sacramento a favor de D.ª Desiderio, que la demanda fue estimada parcialmente recayendo sentencia de fecha 15 de abril de 2010 declarando la nulidad de la referida compraventa por simulación y nulidad absoluta de la donación encubierta por falta de forma.

Contra dicha sentencia se interpuso recurso de apelación, habiendo recaído sentencia firme dictada por la Sección 5.ª de esta Audiencia, de fecha 8 de abril de 2011, en la que se estimaba parcialmente el recurso y se revocaba parcialmente la sentencia dictada en primera instancia en el sentido de: "dejar sin efecto el pronunciamiento de declarar la existencia de una donación oculta y de declarar la nulidad absoluta de la misma, manteniendo los restantes pronunciamientos".

Por lo tanto resulta que el título que invoca la actora en la demanda de desahucio por precario, esto es, la compraventa, es nulo y por ello carece de eficacia, no existiendo donación alguna, conforme declara la sentencia de segunda instancia, de lo que deriva la falta de legitimación activa de la demandante para el ejercicio de la acción de desahucio, al carecer de título que le habilite para reclamar la posesión y el desalojo del demandado, de forma que el recurso debe ser estimado y la sentencia dictada ha de ser revocada.

II. Desahucio por falta de pago

A) Por no acreditar que la actora forma parte de la comunidad de bienes arrendadora

Caso 85

Resumen: Falta de legitimación activa de la actora que ejercita la acción de desahucio por falta de pago, pues no se ha probado que pertenezca la comunidad de bienes que aparece en el contrato como propietaria del local arrendado.

Sentencia: AP Madrid, Sec. 10.ª, 183/2022, de 23 de marzo. Recurso 625/2021 (SP/SENT/1152176).

Argumentación jurídica: La sentencia de primera instancia, parte de la posibilidad de resolver el contrato por el arrendador por falta de pago de la renta, conforme al art 27.2 de la LAU y entra analizar en el fundamento de derecho segundo la excepción de falta de legitimación activa alegada por la entidad demandada, pues alega que no se ha acreditado por la parte actora, la pertenencia a la comunidad de bienes que aparece en el contrato como propietaria de la vivienda. Considera que la actora D. Sabina no ha aportado prueba que acredite que forme parte de DIRECCIÓN000 CB, ni consta que firmara como representante de la comunidad el contrato al que se refiere el litigio. Por lo que estima que no se ha acreditado la relación jurídico material entre la Sra. Sabina y el contrato de arrendamiento fundamento del procedimiento, en consecuencia, desestima la demanda.

El primero de los reproches que dirige la parte apelante a la sentencia de primera instancia, es el error en la valoración de la prueba, en concreto el contrato de arrendamiento y la declaración del Sr. Carlos Francisco en el acto de la vista. Así como hace mención a que la actora no actúa en beneficio propio, sino en beneficio de la CB, titular del inmueble.

Examinada la documentación, se puede apreciar que el contrato de arrendamiento está suscrito, como arrendador, por D. Carlos Francisco como administrador de los inmuebles de DIRECCIÓN000 CB. Este administrador compareció al acto del juicio para ser interrogado, y el mismo no fue preguntado por si la actora pertenecía a la CB arrendadora.

Entiende la Sala que la valoración de la prueba no es errónea ni arbitraria, bien al contrario se ajusta al resultado probatorio obrante en autos.

No se discute que la arrendadora sea la CB, pero como la sentencia recoge, en la demanda se dice que Dña. Sabina actúa en su propio nombre, no en nombre de la CB, por otra parte, se solicita la entrega del bien arrendado a la actora, y no a la CB.

A pesar de que en esta alzada la parte apelante sostiene que actúa en nombre de la CB, no ha acreditado que forme parte de la misma, ni de forma documental ni por otro medio de prueba. Por lo que no puede sino desestimarse el motivo de apelación.

B) Porque la legitimación activa para el desahucio debe atribuirse al usufructuario y no al nudo propietario

Caso 86

Resumen: Falta de legitimación activa puesto que la demanda de desahucio por falta de pago y reclamación de rentas corresponde formularla a los usufructuarios en cuanto poseedores de la finca y no al nudo propietario.

Sentencia: AP Alicante, Sec. 5.ª, 51/2017, de 9 de febrero. Recurso 662/2016 (SP/SENT/901182).

Argumentación jurídica: Supuesto lo anterior, no puede estarse de acuerdo con la desestimación de la excepción realizada en la instancia porque para ejercitar los derechos derivados de contrato de arrendamiento la legitimación activa corresponde al usufructuario, no a los nudos propietarios, ya que en aquel recaen los derechos de uso y disfrute de los que es titular, según tiene declarado este Tribunal en sentencias de 2 de diciembre de 2009 y 18 de febrero de 2010 así como el Tribunal Supremo en sentencia de 20 de enero de 2014, pues dicha legitimación para promover los juicios de desahucio recae, a tenor del artículo 250.1.2.º de la Ley de Enjuiciamiento Civil, en los que tengan la posesión real de la finca a título de dueños, de usufructuarios o cualquier otro que les dé derecho a disfrutarla, y sus causahabientes. Obviamente, por posesión real no hemos de entender la posesión directa de la cosa, pues precisamente cualquier acción de desahucio se dirige contra el poseedor material e inmediato, por lo que, en realidad, debe exigirse en el título del demandante la facultad de disfrutar o poseer el bien, de una forma directa o indirecta. Además, en caso de que el dominio esté dividido, la jurisprudencia estima que el nudo propietario solo estará legitimado para promover esta acción en unión del usufructuario, ya que el nudo propietario tiene como único derecho el de disposición, con las limitaciones derivadas del artículo 489 del Código Civil, y como expectativa la de consolidar en su persona el dominio pleno una vez se extinga el usufructo, careciendo por el contrario de las facultades de goce y disfrute de la cosa usufructuada, que son titularidad exclusiva del usufructuario (artículo 467 del Código Civil), por lo que la jurisprudencia menor declara con total unanimidad que, carente el nudo propietario de aquellas facultades de uso y disfrute, la nuda propiedad no es título eficaz para amparar la ocupación y excluir la consideración del nudo propietario como mero ocupante a precario frente a la usufructuaria, que es la única titular de derecho exclusivo a poseer (Ss AP Albacete 10 de octubre 1974, AP Lérida 8 marzo 1976, AP Burgos 6 octubre 1976 y AP Las Palmas, sec. 5.ª, 27-11-2003).

En aplicación del anterior criterio, la sentencia de esta misma Sección de fecha 22 de septiembre de 2016 confirmó otra del Juzgado n.º 2 de Novelda estimatoria de demanda de desahucio por precario contra el hoy demandante, interpuesta por sus padres en concepto de usufructuarios del inmueble, siendo precisamente estos últimos los que han concertado nuevo contrato de arrendamiento con los ahora demandados. La sentencia se encuentra recurrida en casación, pero ello no obsta a la consideración de nudo propietario del actor y, por ello, con falta de legitimación para disponer del inmueble en arrendamiento.

Por otra parte, sobre el ámbito del recurso de apelación debe tenerse en cuenta la reiterada doctrina del Tribunal Supremo (por todas, sentencias de 15 de octubre y 19 de noviembre de 1991 y 6 de junio de 1992) al establecer que confiere al Tribunal la "cognitio plena" sin obligado respeto, obviamente, a la convicción formada por el Juzgador de primera instancia sobre los elementos probatorios, de manera que atribuye la plenitud de conocimiento al Tribunal de segundo grado, sin más límites que la prohibición de la "reformatio in peius" y los pronunciamientos consentidos.

Conjugando los anteriores razonamientos, aunque la apreciación en esta alzada de la excepción conllevaría la total desestimación de las pretensiones de la demanda, dada la postura de los demandados antes referida, lo procedente sería la desestimación del recurso sin mayores razonamientos.

C) Por no acreditar que se actúa en beneficio de la comunidad

Caso 87

Resumen: El arrendamiento recaía sobre un local y dos terrazas y la actora únicamente era cotitular de las terrazas y carece de legitimación activa para instar el desahucio por falta de pago y reclamación de rentas al no actuar en beneficio de la comunidad

Sentencia: AP Santa Cruz de Tenerife, Sec. 4.ª, 881/2022, de 14 de octubre. Recurso 773/2022 (SP/SENT/1178662).

Argumentación jurídica: En el presente caso, el análisis del material probatorio efectuado por el tribunal de primera instancia no solo es amplio y detallado, sino acertado en sus conclusiones jurídicas. No obstante, para dar una respuesta completa a las cuestiones planteadas en el recurso procede hacer algunas consideraciones.

1. La sentencia recurrida desestimó la demanda de desahucio por falta de pago y reclamación de rentas al estimar la excepción de falta de legitimación activa opuesta por la demandada por cuanto la demandante no dice actuar en beneficio del resto de arrendadores, ni contar con el consentimiento de estos, y no ser titular del local, aunque sea cotitular de las dos terrazas, pues el contrato es único aunque con tres objetos, y no puede resolverse en lo referente a las terrazas pues se insta la resolución del contrato como un todo.

2. El recurso de apelación se basa en dos motivos que deben ser desestimados por las razones que se exponen: (i) que hay una comunidad sobre las tres fincas (un local y dos terrazas), lo que ni está probado ni concuerda con el contenido del expositivo de la escritura pública de 28 de mayo d 2018, en que se formalizó el contrato, y (ii) en la teoría de los actos propios, al haber recibido la demandante las rentas correspondientes a los meses de mayo a septiembre de 2018, lo que ni está acreditado ni tiene nada que ver con el tema de la legitimación, una vez que la cláusula tercera del contrato relativa a la renta determina con todo detalle la forma de pago de la renta.

III. Arrendamiento de la vivienda

A) Para reclamar el precio del arriendo

Caso 88

Resumen: La legitimación para exigir el precio del arrendamiento corresponde solo a quien resulte ser el arrendador y no como en este caso a quién es solo el propietario.

Sentencia: TS, Sala Primera, de lo Civil, 513/2006, de 30 de mayo Recurso 3777/1999 (SP/SENT/365608).

Argumentación jurídica: La sentencia recurrida, como se pone de manifiesto en lo transcrito en el anterior fundamento de esta resolución, no declara probada la existencia de un contrato de arrendamiento entre la actora y los demandados, sino que basa su pronunciamiento en la condición de propietario de la actora de los bienes locados. Esta Sala no acepta tal argumentación ya que, como se ha apuntado, la legitimación para exigir el precio del arrendamiento y demás efectos del contrato compete, única y exclusivamente, a quien resulte probado haber otorgado, por sí o por medio de representante, el contrato en calidad de arrendador.

Por todo ello procede la estimación del motivo.

B) Por anulación de la venta de viviendas de promoción pública del IVIMA a la parte actora

Caso 89

Resumen: Falta de legitimación activa de la demandante en relación con el arrendamiento de la vivienda al demandado, al haber sido declarada nula por la jurisdicción contencioso-administrativa la venta de viviendas de VPO celebrada entre aquella y el IVIMA.

Sentencia: AP Madrid, Sec. 9.ª, 335/2022, de 7 de julio. Recurso 440/2022 (SP/SENT/1159920).

Argumentación jurídica: Aunque no se ha alegado por las partes es un hecho notorio, que la compraventa que se realizó por entre el IVIA la entidad ENCASA CIBELES, que se instrumentalizó en virtud de la escritura el día 25 de octubre de 2013, ha sido declarada nula por la jurisdicción contenciosa administrativa, en concreto en las sentencias del TSJ de 14/5/2019, criterio que luego ha reiterado por su Sentencia de 19/6/2019, que confirman la dictadas en primera instancia (JCA núm. 2 y 29 de Madrid), acordando la anulación de la venta realizada por el IVIMA a la entidad ENCASA CIBELES, sentencias que han adquirido firmeza, en el momento actual.

En base a estos hechos el TS entre otras en la sentencia n .º 772/2021 de 08/11/2021 y en la sentencia 773/2021 de 08/11/2021 ha venido a declarar "En otro litigio promovido por Encasa respecto de otra de las viviendas de protección pública arrendadas por el IVIMA y luego adquiridas por Encasa, la sentencia de pleno 95/2021, de 23 de marzo, resolvió desestimar el recurso de casación interpuesto por Encasa (cuya demanda había sido entonces desestimada) razonando, en síntesis y en lo que ahora interesa (fundamento de derecho cuarto), que ante la "realidad indiscutible" de la firmeza del pronunciamiento de la jurisdicción contencioso-administrativa declarando la nulidad de la adquisición por Encasa de la vivienda arrendada (sentencia de fecha 21 de mayo de 2018, dictada por el Juzgado de lo Contencioso-Administrativo n.º 29 de Madrid en actuaciones de juicio ordinario n.º 50/2010, folios 153 y siguientes de las actuaciones de primera instancia), que comporta además la nulidad de su subrogación en la posición de arrendadora, "se ha producido una falta sobrevenida de acción por nulidad del título en que dicha acción se fundaba". La sentencia de pleno concluía en estos términos: "No se trata, por tanto, de una innovación que haya privado definitivamente de interés legítimo las pretensiones de la demanda y que pueda conducir a la terminación del litigio (arts. 413 y 22 LEC), sino de una falta sobrevenida de acción que determina la desestimación del recurso en cuanto interpuesto por quien, a causa de la nulidad de su título, carece de la condición de propietario y arrendador".

Esta doctrina es aplicable al presente asunto, pues aunque no ha sido alegada por las partes, es un hecho notorio que conoce el tribunal por la repercusión social que esta cuestión ha tenido en la comunidad de Madrid, cual es la anulación de la venta de viviendas de promoción pública del IVIMA a la parte actora, dado que se instrumentalizó por la misma escritura pública que aporto a los autos la ahora apelante, que el litigio versa sobre una vivienda en la misma promoción de otras viviendas objeto del arrendamiento litigioso, de lo que se deduce que es una de las 2.935 viviendas pertenecientes a las 32 promociones ubicadas en distintas zonas de la Comunidad de Madrid cuya adjudicación a Encasa en virtud de la referida escritura de 25 de octubre de 2013 ha sido declarada nula por sentencia que ya era firme cuando se dictó la sentencia recurrida, todo lo cual comporta que proceda dado que la decisión de la jurisdicción contencioso-administrativa de declarar la nulidad del título de Encasa ya es firme, la consecuencia de dicha nulidad es la pérdida sobrevenida de acción de la demandante por carecer de la condición de dueño de todas las viviendas incluidas en la transmisión nula, entre las que figura la que es objeto del arrendamiento litigioso.

Caso 90

Resumen: Falta de legitimación activa de la demandante que ha sido desahuciada de la vivienda y se ha resuelto el contrato de arrendamiento dos meses después de interponer la demanda.

Sentencia: AP Pontevedra, Sec. 1.ª, 126/2020, de 5 de marzo. Recurso 872/2019 (SP/SENT/1051584).

Argumentación jurídica: En lo referente a la falta de legitimación activa debe señalarse lo siguiente.

La legitimación existe —se reconoce— en virtud de una posición en la que se encuentra el sujeto con respecto a un determinado objeto. La posición o situación del sujeto (la relación de este con el objeto) constituye el fundamento de la legitimación, aunque no la legitimación misma.

La legitimación es una condición o cualidad de la que pueden gozar o no las partes en relación a un concreto proceso u objeto procesal. La legitimación ordinaria se basa en la afirmación de la titularidad no solo de derechos subjetivos, sino también de intereses jurídicamente protegidos propios.

Así lo ha mantenido también el TS, sentencia de 3 de junio de 19898, señalando que "basta la mera afirmación de una relación como propia del actor o del demandado para fundar necesaria y suficientemente la legitimación para obrar".

Pero el que se confiera esta cualidad no presupone ni depende de que el derecho exista efectivamente, ni que, en caso de existir, pertenezca al demandante frente al demandado. Esto es precisamente lo que se trata de averiguar en el proceso y lo que habrá de decidirse en la sentencia. Y ello porque lo que toma en cuenta la legitimación no es la relación jurídica en cuanto existente, sino en cuanto deducida.

La afirmación del interés protegido habrá de ser, por lo demás, hábil para producir los efectos jurídicos pretendidos. Es decir, habrá de existir aptitud y coherencia jurídica entre la posición subjetiva invocada y la petición deducida o, en otras palabras, adecuación entre la titularidad que se afirma y las consecuencias jurídicas que se pretenden. Ello es consecuencia necesaria de la consideración de la legitimación como una relación sujeto-objeto y de la vinculación entre existencia de un derecho y su titularidad subjetiva.

Si aparece claro —aunque sea *in limine litis*— que no existe tal posibilidad, necesariamente ha de concluirse que no existe la titularidad real. Si se advierte de modo inequívoco que no existe correlación o adecuación jurídica entre la posición que tiene el sujeto y la pretensión que se deduce (falta de legitimación), puede resolverse sobre la «no titularidad» sin necesidad de indagar en las concretas cuestiones fácticas del caso. En estos casos, la falta de legitimación se proyecta necesariamente en el resultado del fondo del asunto.

De esta forma, cuando la falta de legitimación activa de fondo se evidencia de forma clara y rotunda, debe ser apreciada cualquiera que sea el momento del proceso. Así ocurren en el presente caso en que no es controvertido que la demandante ha sido desahuciada de la vivienda y se ha resuelto el contrato de arrendamiento dos meses después de interponer la demanda, mediante la oportuna resolución judicial.

Ciertamente existe un principio procesal de litispendencia que parte de tomar en consideración el estado de cosas al momento de interponerse la demanda (art. 410 LEC), pero no es menos cierto que pueden darse cambios de circunstancias que deban valorarse para resolver el fondo del asunto. Así sucede cuando el cambio de circunstancias o innovaciones priva de interés legítimo las pretensiones deducidas en demanda, como recoge expresamente el art. 413 LEC.

En el presente caso resulta evidente esa pérdida de interés que afecta a la relación jurídica y el interés de la demandante con el objeto del proceso pues la misma traía su causa de un contrato de arrendamiento en relación con un inmueble, cuando dicho título que justifica su legitimación ha dejado de existir al decidirse su resolución, lo que le priva de todo derecho sobre el inmueble y a accionar en relación al mismo en relación con la exigencia de obligaciones contractuales como la que se pretende. La mera posesión hasta que se ejecute el desahucio no atribuye derecho alguno.

Es por ello que la falta de legitimación activa sobre la cuestión de fondo ha sido apreciada correctamente y en momento procesal oportuno.

Caso 91

Resumen: Falta de legitimación activa ya que quien actúa tiene condición de apoderado en el contrato de arrendamiento pero no figura como arrendador o propietario debiendo actuar en nombre propio su poderdante.

Sentencia: AP Granada, Sec. 4.ª, 125/2011, de 25 de marzo. Recurso 641/2010 (SP/SENT/694117).

Argumentación jurídica: Seguidamente se insiste en la alegación de falta de legitimación activa, que tiene carácter de *ad causam*.

Efectivamente es cierto cuanto alega esta parte apelante sobre que del examen del contrato se evidencia que D. Lucas interviene en el mismo, no en nombre propio sino como apoderado. En consecuencia no puede considerarse a este como arrendador, que lo será su poderdante, es decir la persona por la que actuó.

Es más, no consta que el Sr. Lucas ostente titularidad alguna sobre el bien arrendado, apareciendo aportados con la demanda fotocopias de recibos de IBI en los que se ha tapado el espacio correspondiente al contribuyente, si bien luego de los de comunidad y otro que luego aporta, parecer ser que la propietaria del piso es de D.ª Brígida.

En estas circunstancias no será posible el ejercicio de la acción de autos por D. Lucas en nombre propio, como lo hace, aludiendo a haber concertado contrato de arrendamiento pero omitiendo que entonces lo hizo como apoderado.

No debemos olvidar que la falta de legitimación activa "ad causam" o falta de acción, que es lo mismo, es un presupuesto de fondo que configura la propia acción y que debe ser examinado por el juzgador como uno de los requisitos necesarios para la viabilidad de la misma, siendo así que tiene carácter de orden público en cuanto puedan verse afectados derechos de terceros

La legitimación "ad causam", solo puede ser tratada juntamente con la cuestión de fondo, en la que se encarna la relación jurídico-material que es objeto de las pretensiones sustantivas de las partes (STS de 25 de enero de 1990), exigiendo el principio de orden público, la presencia en el procedimiento de la parte a quién pudiera afectar (STS de 24 de mayo de 1986), debiendo el actor acreditar suficientemente el llamado presupuesto de la legitimación "ad causam", esto es, el derecho preexistente, en virtud del cual ejercita su acción (STS de 14 de junio de 1991), pues la carencia del mismo, considerada como ausencia de un presupuesto preliminar a la consideración del fondo pero basado en razones jurídico materiales, debe conducir a una sentencia desestimatoria (STS de 10 de noviembre de 1992).

En este caso, reconocer la legitimación como apoderado al momento de firmar un contrato y abonar unas rentas, no podrá ser extensible a aceptar luego una actuación en nombre propio como aquí se intenta ahora, no pudiendo ser considerado quien actuaba como apoderado, a los efectos del artículo 10 de la LEC, como parte legitima en el sentido de ser titular de la relación jurídica u objeto litigioso, titularidad que corresponde, obviamente a su poderdante.

Caso 92

Resumen: No puede negarse la legitimación activa de los herederos de la finca para el desahucio cuando el propio arrendatario previamente y con sus propios actos los ha reconocido como tales.

Sentencia: AP Salamanca, Sec. 1.ª, 436/2009, de 10 de noviembre. Recurso 378/2009 (SP/SENT/491522).

Argumentación jurídica: En este sentido, consta, por no ser hecho controvertido y si reconocido por todos, el fallecimiento de D. Conrado, producido tras el fallecimiento de su madre D.ª Inmaculada, que es de quien heredó el 78,66 % de la FINCA000. Consta, asimismo, que el demandado inició expediente de consignación de rentas, presentando en fecha 27 de Julio de 2006, escrito en el Juzgado, en el que interesaba la consignación de rentas correspondiente a la participación que sobre dicha FINCA000, ostentan los Herederos de D. Conrado, representados por la hija del anterior, D.ª Remedios; esta compareció en dicho expediente. Pero ello no es todo, el demandado remitió carta conjunta, a todos los actores, en la que "intentando arreglar problemas sobre FINCA000, ofrece comprar vuestra participación en ella ... y os recuerdo que vuestra parte de la contribución y gastos necesarios de la conservación de la dehesa lo son también hayáis aceptado o no la herencia...".

Pues bien, a la vista de tales hechos, y teniendo en cuenta el objeto de la discusión y el ámbito subjetivo de la misma, difícilmente se puede admitir, tal cual hace la sentencia de instancia, la negativa en este procedimiento a los actores de una cualidad que por el demandado se les ha reconocido fuera y antes del procedimiento. Es decir, si les ha ofrecido a los herederos de D. Conrado (personalizados en su esposa e hijos) comprar el porcentaje de este en la FINCA000, con lo que ello implica de reconocerles unas facultades de disposición, y sí, asimismo, les ha hecho partícipes de las rentas correspondientes al porcentaje que en la finca ostentaba D. Conrado, con lo que ello, a su vez, supone de darles intervención en el arrendamiento, no es posible, ahora, en el presente procedimiento que versa sobre el arrendamiento de la finca, desconocerles cualquier clase de legitimación sobre el particular.

Proceso cambiario

Porque no ser el actor ni librador, ni librado aceptante, ni tomador, ni endosatario

Caso 93

Resumen: Falta de legitimación activa del demandante para ejercitar la acción cambiaria que no fue ni librador, ni librado aceptante, ni tomador, ni endosatario.

Auto: AP La Rioja, Sec. 1.ª, 25/2020, de 24 de marzo. Recurso 127/2020 (SP/AUTRJ/1068405).

Argumentación jurídica: Se ha de recordar, con respecto a la legitimación para instar el procedimiento que se regula en los arts. 84 y ss. de la LC y CH, se ha considerado que la legitimación activa alcanza a todo aquel que tenga derecho a detentar una cambial, ejercitando alguna de las acciones que de la misma se derivan, ya se trate del tomador, librador o endosatario. Pero también se ha mantenido que el librado que ya ha pagado el importe de la letra ostenta legitimación activa suficiente para instar el procedimiento a los efectos de obtener la amortización título e impedir que se le exija judicialmente aquel importe. Diversamente, por último, se ha entendido que el concepto legal de tenedor desposeído solo debe abarcar a aquel que, de algún modo, pueda ejercitar una acción cambiaria contra el deudor de la letra por lo que, en este sentido, no cabría entender que el librado estuviera legitimado.

En las presentes actuaciones debe señalarse que las once cambiales extraviadas cuya amortización se pretende, se supone que fueron pagadas en su momento, pago que, como recuerda la sentencia apelada, tuvo que hacerlo Adriano pues Carlos Francisco efectuó una cesión de su crédito a Acinco que alcanzó las 131 cambiales libradas. Sin embargo, Acinco solo ejecutó 120 cambiales, por lo que ha de entenderse que las once restantes ya fueron abonadas. En el hecho cuarto de la demanda se afirma que el actor es el legítimo tenedor de120 cambiales pero no de las 11 once letras de cambio cuya amortización pretende. En los títulos cuya amortización pretende, el actor no fue ni librador, ni librado aceptante, ni tomador, ni endosatario, y según parece, la deuda cambiaria se extinguió antes de que el demandante adquiriera el inmueble hipotecado. En esta situación no se evidencia una legitimación activa que faculte al actor para el ejercicio de la presente acción, sin perjuicio de que en procedimiento declarativo pueda obtener la completa satisfacción a sus intereses.

Procesos de familia

I. Pensión alimenticia

A) Hijos mayores de edad que no continúen viviendo con la madre en los períodos no lectivos

Caso 94

Resumen: No acreditado que las hijas mayores de edad continúen conviviendo con la madre en los períodos no lectivos ya que realizan estudios universitarios y residen durante el curso en otra localidad, no ostenta legitimación esta para solicitar alimentos.

Sentencia: AP León, Sec. 2.ª, 225/2022, de 28 de julio. Recurso 62/2022 (SP/SENT/1160487).

Argumentación jurídica: Se solicita en primer término en el recurso de apelación la revocación de la sentencia de instancia en el sentido de incluir entre las medidas derivadas del divorcio la relativa a la pensión de alimentos en favor de las hijas mayores de edad, en los siguientes términos:

a) Será el padre el que asuma directamente todo el gasto que genera a la unidad familiar los estudios de sus hijas en Madrid, entre los que se encuentran: el pago de sus matrículas universitarias, material y libros de estudio, gastos de alquiler de los inmuebles donde residen en Madrid, etc.

b) El resto de gastos de las hijas serán satisfechos por los padres en la proporción de 2/3 el progenitor y 1/3 la progenitora (en atención a sus respectivos caudales), incluidos los gastos extraordinarios de las menores, entendiendo por tales los que así denomina la doctrina de nuestro Tribunal Supremo, entre otras, en sus Sentencias de 18/1/17 y 25/4/16, detallados en el antecedente de hecho décimo 4.º b) de la contestación a la demanda.

La anterior petición ha de ser rechazada, pues no se está pidiendo una cantidad concreta en concepto de pensión de alimentos, que es lo que puede solicitar la recurrente, en base al art. 93 del C. Civil, a su favor, para con ella afrontar las necesidades de sus dos hijas mayores de edad, especificadas en el art. 142 del C. Civil, y con cargo al padre, en el supuesto de darse la convivencia en el domicilio familiar con las dos hijas, aun cuando en los períodos lectivos, se encuentren cursando sus estudios en otra ciudad distinta, como viene interpretando la jurisprudencia, sino que sea este último quien asuma todos los gastos a los que se ciñe su petición, que de hecho viene asumiendo, como se desprende de la demanda planteado por D. Alberto, y está dispuesto a seguir costeando.

Por tanto siendo ambas hijas mayores de edad, encontrándose ambas estudiando carreras universitarios en Madrid, no estando incluso acreditado que en los períodos vacacionales, su lugar de residencia se encuentre en el domicilio de la madre, asumiendo por el momento el padre todos sus elevados gastos, –universidades privadas, estancia en Madrid...–, no se puede considerar a la recurrente legitimada para formular la petición de alimentos para las hijas en los términos en los que se solicita, sin perjuicio de que las dos hijas en un futuro, de no atender el padre el compromiso personal contraído con ellas, puedan solicitar a su favor la oportuna pensión de alimentos al amparo de los arts. 142 y siguientes del C. Civil.

B) Hijos mayores de edad, pero convivientes con la madre

Caso 95

Resumen: Carece de legitimación el hijo mayor de edad pero conviviente con la madre para interesar correspondiendo a la progenitora sin que pueda recurrir la denegación de reducir su pensión pues es pronunciamiento favorable.

Sentencia: AP Cantabria, Sec. 2.ª, 149/2022, de 14 de marzo. Recurso 730/2021 (SP/SENT/1145624).

Argumentación jurídica: En consecuencia, es la madre la que tiene legitimación para solicitar o defender la pensión debida para sus hijos mayores de edad mientras acontezcan las condiciones previstas en el art. 93.II CC, es decir, que convivieran en el domicilio y que carecieran de ingresos propios, pues en tal caso el juez fijará los alimentos que sean debidos conforme a los artículos 142 y siguientes de este Código.

Y esta es además la posición de la jurisprudencia, que se advierte de las SSTS n.º 223/2019, de 10 de abril y 156/2017, de 7 de marzo, disponiendo esta última que

""La ley 11/1990, de 15 octubre, añadió el párrafo segundo del artículo 93 CC, incorporando que se permitiese fijar los alimentos de los hijos mayores de edad en la propia sentencia que resuelve el proceso de nulidad, separación o divorcio. (...).

La doctrina ofreció varias razones para justificar esta previsión normativa. Ya por economía procesal, para evitar otro proceso, este de alimentos a instancia de los hijos. Ya para evitar que estos tuvieran que enfrentarse con los padres o con alguno de ellos. En cualquier caso daba respuesta a una necesidad social acuciante, que era proteger al hijo que, aun siendo mayor de edad, no era independiente económicamente y habría de convivir con alguno de sus progenitores.

Este párrafo del artículo 93 CC ha dado lugar a cuestiones muy controvertidas, tanto a nivel doctrinal como jurisprudencial.

La que es relevante a efectos del recurso, y de otra parte la más cuestionada, es la relativa a la legitimación del progenitor que reclama alimentos en el proceso matrimonial a favor del hijo que convive con él.

Se ha cuestionado si se trata de una legitimación directa o indirecta, y si fuese esta última si es legitimación por sustitución o legitimación representativa.

Asimismo han existido corrientes doctrinales y jurisprudenciales que han buscado justificación a la legitimación. Destacan las que la basan en las cargas de matrimonio o las que creen que existe un derecho de reembolso del progenitor conviviente (...).

Se echa en falta la existencia de una norma, como sucede en otros ordenamientos, que expresamente conceda legitimación al progenitor conviviente con el hijo mayor de edad para solicitar la contribución del otro en el sostenimiento del hijo (...).

A consecuencia de la citada laguna ha tenido que ser la jurisprudencia la que haya tenido que decidir la cuestión, y así lo hace la sentencia 411/2000, de 24 abril, ampliamente comentada por la doctrina científica y citada en todos los recursos sobre la materia. En el presente litigio la cita tanto la parte recurrente como la recurrida.

En esta sentencia se declara la exclusiva legitimación del progenitor conviviente en lo que se refiere a los alimentos del hijo mayor de edad, pero naturalmente siempre que se cumplan los requisitos establecidos en el precepto tal como se interpretan jurisprudencialmente.

Por tanto la sentencia 411/2000, de 24 de abril, seguida por la 432/2014, de 12 julio, ha supuesto un cambio del estado de la cuestión al dejar claro que la legitimación la tiene el progenitor que convive con el hijo mayor, que es lo ahora relevante, sin entrar en opiniones doctrinales todas dignas de consideración.

Más adelante añade que el hecho de que se decida en el proceso matrimonial sobre los alimentos de los hijos mayores se fundamenta no en el derecho de esos hijos a exigirlos de sus padres, que es indudable, sino "a la situación de convivencia en que se hayan respecto a uno de sus progenitores.

Por tanto, desde que los hijos de la recurrente alcanzaron la mayoría de edad, la legitimación de ella para percibir la pensión alimenticia se fundó en la previsión del art. 93.2 CC"".

3. Por lo demás, tampoco se entiende el recurso formulado por el hijo mayor de edad Sr. Fernando. Para que un recurso pueda ser admitido la resolución debe de afectarle desfavorablemente, es decir, debe producir un gravamen (art. 448.1 LEC). Y no se aprecia en qué medida la desestimación íntegra de una demanda que pretende reducir de 150 euros mensuales a 90 la pensión que se abona por cada hijo, le perjudica.

C) Falta de legitimación de los hijos para fijar la pensión alimenticia en el pleito matrimonial y para instar la ejecución

Caso 96

Resumen: Falta de legitimación activa de la madre del hijo mayor de edad declarado con una minusvalía del 82 % para reclamar alimentos a favor del mismo al no existir resolución que declare su incapacitación.

Sentencia: AP León, Sec. 1.ª, 110/2018, de 19 de marzo. Recurso 17/2018 (SP/SENT/958433).

Argumentación jurídica: En este caso se desconoce de qué manera se encuentra afectada la capacidad del hijo, al margen de los datos que ofrece la madre sobre su grado de minusvalía y necesidad permanente de asistencia de una tercera persona. Este conocimiento es fundamental para adoptar la medida más favorable a su interés, teniendo en cuenta la importancia que para las personas con discapacidad reviste su autonomía e independencia individual. La Convención protege su personalidad en igualdad de condiciones con los demás, permitiéndole el ejercicio de la capacidad de obrar en las diferentes situaciones que se planteen.

14. La STS de 7 de julio de 2014 que declara la doctrina jurisprudencial antes resumida y que recuerda la STS de 17 de julio de 2015 siempre se refiere a la extinción o modificación de alimentos en "juicio matrimonial", equiparando la situación de los incapaces, aun cuando no se haya declarado la incapacitación, con la de los hijos menores que conviven en el domicilio familiar. Sin embargo, en este caso la pensión fijada se extinguió y ahora se trata de valorar la legitimación de la madre del mayor de edad no incapacitado, en un juicio de alimentos.

15. Se desconoce si el grado de minusvalía declarado del hijo mayor de edad impide completamente su decisión sobre los alimentos que se reclaman a su progenitor. No se puede completar su capacidad sin un previo proceso que determine el grado de ayuda que precisa. El ministerio fiscal no ha iniciado acciones de protección del presunto incapaz ni el procedimiento de incapacitación en el que se podrían adoptar medidas cautelares y pedir incluso alimentos del padre. Se le han notificado todas las resoluciones y no ha presentado escrito alguno en apoyo de la petición de alimentos. Se ha considerado igualmente que la pensión de alimentos declarada en el procedimiento matrimonial se ha extinguido en procedimiento de modificación de medidas cuando alcanza la mayoría de edad y obtiene una pensión de invalidez (550,35 euros). También es preciso valorar que la petición formulada lo es para gastos de ocio, por lo que podría rechazarse y en ese caso el hijo que se vería afectado por la resolución que se dicte sin que se le haya permitido su defensa en el procedimiento.

16. La consecuencia de lo que se expone en el fundamento jurídico anterior en este caso concreto debe llevar a la estimación del recurso y así se aprecia falta de legitimación activa de la madre para la reclamación de los alimentos del hijo mayor de edad.

Caso 97

Resumen: Falta de legitimación activa de la hija mayor de edad para reclamar alimentos a su padre en el procedimiento de divorcio de sus progenitores, del que no es parte, debiendo hacerlo a través del juicio verbal.

Sentencia: AP Madrid, Sec. 24.ª, 785/2011, de 6 de julio. Recurso 150/2011 (SP/SENT/646296).

Argumentación jurídica: Consecuentemente con ello, no parece lógico pretender que la madre, en sede de divorcio, actúe como representante de Clemencia o como gestora de negocios ajenos, cuando esta, o bien resulta totalmente independiente, o bien no alcanza la autonomía por causas exclusivamente dependientes de su voluntad, incluso por falta de dedicación y esfuerzo, ya en los estudios, ya en la búsqueda activa de un empleo, y así, viene incluso a inferirse el reconocimiento de ello tanto por la madre como por la hija, de su respectivo comportamiento procesal, en cuanto la progenitora femenina ha hecho dejación de su inicial pretensión de fijación de alimentos a favor de Clemencia y a satisfacer a la madre como administradora, al tiempo que la hija ha pasado a reclamarla por sí misma en este proceso.

Es evidente que Clemencia es hoy la única legitimada para reclamar alimentos de sus progenitores, y no su madre, por más que con ella perdure la convivencia, en cuanto este desarrollo de la vida en el entorno materno, no es sino una libre opción que la hija ejercita, legítima desde luego, irreprochable si se quiere, pero que no permite una extensión artificial para ella de la cobertura de los alimentos en el seno de un proceso de familia, de divorcio de sus progenitores, con cargo a su padre, y menos aun solicitándolos por sí en este marco, sino que ha de hacerlo a través del juicio verbal ordinario que corresponda, de alimentos entre parientes, al que desde aquí la remitimos.

Reiteramos, en este proceso de divorcio Clemencia no es ni puede ser parte, ni siquiera como coadyuvante, sino que deberá reclamar la pretensión de alimentos que la ley le reconoce como parte principal y única del proceso específico establecido para ello, el verbal ordinario de alimentos, declarativo y plenario, en el que habrá de ventilarse su pretensión discutiéndose la procedencia de su pensión de alimentos, en todos los detalles, como extensión y cuantía, pues para que en un procedimiento de divorcio como el que nos ocupa, pueda una persona ser tenida como parte, habrá de ostentar la condición de consorte de la adversa, de la que obviamente aquí carece Clemencia.

Es por ello que ha de quedar en el recurso imprejuzgada su pretensión, al carecer Clemencia aquí de legitimación activa, sin entrar en el examen de la cuestión de fondo que plantea, reservándola acciones y remitiéndola, como se ha dicho y reitera, al proceso propio ordinario que corresponda, al margen del presente de familia, para que formule, si viere convenir a su derecho, reclamación de ambos progenitores obligados y por la vía del mencionado artículo 250.1.8.º de la LECivil.

Caso 98

Resumen: Existe falta de legitimación activa de la madre que reclama alimentos para su hija mayor de edad sin acreditar la convivencia común de ambas y la dependencia económica que las une.

Sentencia: AP Asturias, Oviedo, Sec. 5.ª, 225/2011, de 30 de mayo. Recurso 197/2011 (SP/SENT/637154).

Argumentación jurídica: En el caso se trata de medida alimentaria a favor de la hija común mayor de edad que, por tanto, no se encuentra afectada por el interés público ni es ajena al principio dispositivo. Y así es que, en efecto, si bien la mayoría de edad del descendiente no determina su decaimiento al derecho a los alimentos si se dan los presupuesto para su concesión (STS 28-11-2003), el tratamiento de los debidos al hijo según sea mayor o menor de edad es distinto (art. 39.3 CE STS 5-10-93), integrándose los del segundo dentro de la patria potestad (art. 154 Código Civil) y bajo el amparo de los poderes públicos (arts. 2 y 3 LO/1996 de 15 de enero), no sometidos al principio dispositivo (STS 22-5-1993; 27-1-1998, 24-4-200, 28-9-2009 y 10-10-2010).

Dicho lo cual y si esto es así, cae por su base el razonamiento de la sentencia recurrida de que por tratarse de la modificación de una medida es de cargo del demandado la prueba del cambio de circunstancias y que por no contestar en plazo no puede discutir la legitimación de la actora.

Por el contrario, siendo objeto del proceso introducido por la demanda como medida complementaria de la declaración de divorcio los alimentos debidos a la hija común mayor de edad es de cargo del demandante tanto, de un lado y primero, su legitimación para interesarlos como, de otro, la concurrencia de las circunstancias precisas para su estimación.

Y así en cuanto a la legitimación, la sentencia del Tribunal Supremo de 24-4-2000 declaró el interés legítimo del ascendiente del hijo común como titular de la unidad monoparental en que aquel se integra siempre que concurran los presupuestos del párrafo 2 del artículo 93 Código Civil, es decir, convivencia y dependencia económica del hijo común.

En el caso, según ya se ha expuesto, la prueba de la actora se limitó a su propia declaración al ser interrogada, no constando ninguna otra prueba documental acreditativa de la convivencia de la hija común con la parte (el documento al folio 54 no contiene el domicilio de la informada) y, en cuanto a su carencia de ingresos o dependencia económica, ocurre otro tanto, con el solo añadido de la incorporación por vía telemática de su hoja laboral de la que resulta que trabajó para otro del 28-1-2008 al 29-4-2009, pero nada más.

En consecuencia, no se puede tener por acreditada la legitimación de la actora para solicitar alimentos para su hija mayor de edad, lo que en nada afecta al derecho alimentario de esta y a la obligación del recurrente como su alimentante si efectivamente concurren los presupuestos para su concesión, correspondiendo a la hija común accionar, en tal caso, solicitud de su decreto y, por tanto, se estima el recurso y se revoca la resolución recurrida dejando sin efecto la medida alimentaria dispuesta. CUARTO. La naturaleza de la cosa debatida justifica no proceda expreso pronunciamiento respecto de las costas de esta alzada.

Caso 99

Resumen: Tanto el recurso como la oposición se estiman por falta de legitimación activa de la actora, sin perjuicio del derecho de la madre de promover nueva demanda ejecutiva si la hija todavía conviviera con ella en el momento del devengo de los alimentos.

Sentencia: AP Barcelona, Sec. 15.ª, 386/2010, de 15 de noviembre. Recurso 70/2010 (SP/SENT/622233).

Argumentación jurídica: La cuestión no es fácil de resolver, pero consideramos que el recurso debe de ser estimado; en el proceso matrimonial solo pueden ser parte los cónyuges, por lo que los hijos mayores de edad carecen de legitimación para reclamar la fijación de alimentos a su favor en pleito matrimonial, y para interesar la ejecución del pronunciamiento de la sentencia de nulidad, separación o divorcio que impone a uno de los progenitores la obligación de abonar al otro una pensión alimenticia a favor de sus hijos, toda vez que los hijos no fueron parte en dicho procedimiento, siendo los cónyuges los únicos legitimados en un proceso matrimonial para reclamar y percibir las pensiones alimenticias establecidas a favor de sus hijos. Esta solución es conforme al artículo 539.2 Ley de Enjuiciamiento Civil que otorga la legitimación activa para promover la ejecución forzosa de las sentencias a quien aparezca como acreedor en el título ejecutivo. En el título ejecutivo, que es la sentencia de divorcio, quien aparece como acreedor de los alimentos es la madre de la ejecutante y esposa, cuyo matrimonio se disolvió por divorcio en virtud de dicha sentencia, y a cuyo favor y en concepto de alimentos de sus hijas entonces menores se fijó aquella pensión alimenticia, que había de ingresarse en la cuenta que ella designase.

3. Lo que antecede no significa que la ahora ejecutante, en cuanto hija del ejecutado, no pueda reclamar alimentos de su progenitor, si a ello tuviera derecho.

Lo que decimos es que, en ese caso, solo podría reclamarlos interponiendo contra su progenitor una demanda de procedimiento declarativo, pero nunca promoviendo la ejecución forzosa de la sentencia firme de divorcio, recaída en un procedimiento donde dicha hija no fue parte, pues carece de legitimación activa.

Lo expuesto no quiere decir tampoco que la sentencia de divorcio no pudiera ser objeto de ejecución forzosa en el caso de impago de la pensión de alimentos por el progenitor obligado a ello, aun siendo los hijos ya mayores de edad. Sin duda alguna, si el progenitor no paga los alimentos a cuyo pago le obliga la sentencia de divorcio, la ejecución de dicho título ejecutivo es posible, pero el legitimado para promover dicha ejecución forzosa solo podría ser la esposa a cuyo favor se estableció dicho derecho en cuya compañía continúen los hijos mayores de edad. Y a este respecto, la legitimación activa del progenitor pare promover la ejecución por impago de la pensión de alimentos a los hijos mayores de edad en cuya compañía continúen, ha sido reiteradamente reconocida por la Jurisprudencia (Sentencias del Tribunal Supremo de 24 de abril y 30 de diciembre de 2000, o más recientemente en la 432/2014, de 12 de julio).

4. En definitiva, lo que aseveramos es que los hijos no son parte en el procedimiento y carecen de legitimación para instar su ejecución, siendo el progenitor en cuya compañía queden el legitimado para reclamar el cumplimiento de lo acordado en el proceso matrimonial.

5. En tal sentido, el auto 54/2018 de la Sección 4.ª de la Audiencia Provincial de A Coruña, de fecha 19 de abril de 2018, dice:

"Con carácter general, la legitimación ordinaria proviene del propio título ejecutivo, teniendo la condición de ejecutante "quien aparezca como acreedor" de la pretensión ejecutiva, y la de ejecutado "quien aparezca como deudor en el mismo título" (art. 538.2). La jurisprudencia ha admitido con reiteración la legitimación activa de los padres para reclamar alimentos a favor de los hijos mayores de edad que con ellos convivan (SSTS 24 de abril y 30 de diciembre de 2000, o más recientemente en la 432/2014, de 12 de julio) y, por tanto, también para solicitar la realización de lo dispuesto en el título ejecutivo...".

6. La consecuencia de todos los razonamientos anteriores es que tanto el recurso como la oposición deben estimarse por falta de legitimación activa de Ana María para promover esa ejecución, sin perjuicio del derecho de Doña Carina de promover nueva demanda ejecutiva en el caso de que Ana María conviviera todavía con ella en el momento del devengo de esos alimentos, o sin perjuicio del derecho de Ana María de formular la oportuna reclamación de alimentos, si tuviera derecho a ello por cumplir los requisitos legales, mediante el declarativo correspondiente.

SEGUNDO. 1. Por lo que se refiere a las consecuencias que la anterior decisión debe tener en cuanto a las costas procesales de este incidente de oposición el artículo 561 Ley de Enjuiciamiento Civil se remite al artículo 394 del mismo texto legal. Conforme al artículo 394 de la Ley de Enjuiciamiento Civil, apreciamos serias dudas de derecho por cuanto ambas posturas estaban sustentadas en argumentos relevantes, y esta cuestión además no ha sido objeto de tratamiento específico por el Tribunal Supremo (como hemos explicado, el Alto Tribunal sí se ha pronunciado cuando se ha opuesto falta de legitimación activa frente a la progenitora ejecutante que reclama alimentos a favor de sus hijos mayores de edad, y lo ha hecho a favor de reconocer la legitimación activa de la progenitora siempre que los hijos convivan con ella; sin embargo, el Tribunal Supremo no se ha pronunciado todavía en un supuesto como el que nos ocupa, en el cual quien promueve la ejecución forzosa de un título en el que no es parte es la hija ahora mayor de edad en cuyo favor se fijaron los alimentos).

Caso 100

Resumen: Existe falta de legitimación activa de la madre para la petición de pensión alimenticia cuando las hijas son mayores de edad y emancipadas según la ley argentina donde residen.

Sentencia: AP Baleares, Sec. 4.ª, 172/2010, de 7 de mayo. Recurso 15/2010 (SP/SENT/515163).

Argumentación jurídica: El Tribunal Supremo, en sentencia de 24/4/2000, considera que no existe obstáculo alguno a la legitimación activa del progenitor con el que convive la hija mayor de edad que carece de ingresos propios para poder solicitarla. Dicha Sentencia señala que: "Del artículo 93.2 Código Civil emerge un indudable interés del cónyuge con quien conviven los hijos mayores de edad necesitados de alimentos a que, en la sentencia que pone fin al proceso matrimonial, se establezca la contribución del otro progenitor a la satisfacción de esas necesidades alimenticias de los hijos. Por consecuencia de la ruptura matrimonial el núcleo familiar se escinde, surgiendo una o dos familias monoparentales compuestas por cada progenitor y los hijos que con él quedan conviviendo, sean o no mayores de edad; en esas familias monoparentales, las funciones de dirección y organización de la vida familiar en todos sus aspectos corresponde al progenitor, que si ha de contribuir a satisfacer los alimentos de los hijos mayores de edad que con él conviven, tiene un interés legítimo, jurídicamente digno de protección, a demandar del otro progenitor su contribución a esos alimentos de los hijos mayores. No puede olvidarse que la posibilidad que establece el artículo 93, párr. 2.º Código Civil de adoptar en la sentencia que recaiga en estos procedimientos matrimoniales, medidas atinentes a los alimentos de los hijos mayores de edad se fundamenta, no en el indudable derecho de esos hijos a exigirlos de sus padres, sino en la situación de convivencia en que se hallan respecto a uno de los progenitores, convivencia que no puede entenderse como el simple hecho de morar en la misma vivienda, sino que se trata de una convivencia familiar en el más estricto sentido del término con lo que la misma comporta entre las personas que la integran. De todo lo expuesto se concluye que el cónyuge con el cual conviven hijos mayores de edad que se encuentran en la situación de necesidad a que se refiere el artículo 93, párr. 2.º Código

Civil, se halla legitimado para demandar del otro progenitor la contribución de este a los alimentos de aquellos hijos, en los procesos matrimoniales entre los comunes progenitores".

Ello sentado y teniendo en cuenta que ninguna de las hijas del matrimonio convive con su madre en Calviá, sino que ambas tienen su residencia habitual y domicilio en Río Tercero, Argentina, no podemos sino confirmar la decisión de falta de legitimación activa de la madre recurrente para reclamar, en este proceso matrimonial, alimentos para sus dos hijas mayores de edad, una y emancipada la otra, según ley argentina.

II. Acogimiento

Caso 101

Resumen: Falta de legitimación de la familia acogedora para recurrir la resolución de la Entidad Pública que deja sin efecto la de desamparo, cesando las funciones tutelares por parte de la Entidad, y con reintegración de la menor al entorno familiar.

Auto: AP Barcelona, Sec. 18.ª, 333/2021, de 28 de octubre. Recurso 660/2021 (SP/AUTRJ/1128159).

Argumentación jurídica: La resolución que impugnan los acogedores es la dictada por el ICAA de 12-9-2019 que deja sin efecto la Resolución de 8-3-2017, es decir, que deja sin efecto el acogimiento simple. En el mismo día la DGAIA dicta resolución alzando el desamparo y la suspensión de la potestad. Se reintegra a la menor que pasa a vivir con el padre.

El acogimiento simple en familia ajena acordado el 8-3-2017 constituye una medida de protección de las contempladas en el art. 120 de la LDOIA. El art. 124 de la misma Ley contempla como causa de extinción de las medidas de protección entre otras la recogida en el apartado e) acuerdo del órgano competente que declara que han desaparecido las circunstancias que habían dado lugar a la adopción de la medida y el art. 130 hace referencia a la terminación del acogimiento familiar cuando concurre alguna de las causas del art. 124.

La Resolución dictada por el ICAA (cese del acogimiento) que se impugna en este procedimiento por la familia acogedora es consecuencia de la Resolución dictada por la DGAIA que alza el desamparo y restablece la potestad a los progenitores. Dejada sin efecto la declaración de desamparo y cesando las funciones tutelares por parte de la entidad pública, cesa la medida de protección adoptada.

Como se recoge en el Auto apelado los acogedores carecen de legitimación para impugnar dicha resolución que implicaría la revocación de la dictada por la DGAIA. No puede restablecerse el acogimiento simple sin nueva declaración de desamparo. La resolución de la entidad pública que ostenta la tutela de la menor desamparada, y que declara el cese de dicha tutela con la consiguiente reintegración de la menor al entorno familiar entendemos no es impugnable por la familia acogedora.

III. Guarda de hecho

Caso 102

Resumen: El padre no está legitimado para reclamar los alimentos del hijo mayor a la madre porque no es su guardador.

Auto: AP Barcelona, Sec. 12.ª, 461/2021, de 27 de julio. Recurso 438/2020 (SP/SENT/1117228).

Argumentación jurídica: En el presente caso ocurre que la decisión de pasar a convivir con el padre se adopta por el hijo Juan Francisco cuando ya es mayor de edad, y en tal caso el padre, que no era su guardador anterior, carece de legitimación para exigir de la otra progenitora una contribución, pues esa legitimación la tiene directamente el hijo, ya mayor de edad y por lo tanto con plenitud de derechos. No es de recibo que la madre dejara de asumir las obligaciones que le son propias respecto de su hijo mayor, pero no es el padre, sino el hijo mayor de edad quien en su caso podrá exigir la pensión alimenticia, petición que deberá dirigir frente a los obligados, esto es, sus dos progenitores conjuntamente, tal y como dispone el artículo 237-7 del CCCat. Debe por ello revocarse el pronunciamiento de la sentencia de instancia y dejar sin efecto el pronunciamiento en el que se impone a la Sra. Vanesa una pensión alimenticia. No procede sin embargo dejar sin efecto, como solicita la demandante, las manifestaciones respecto a los gastos de estudios que se vierten en los antecedentes de la sentencia de instancia por los mismos motivos expuestos anteriormente.

IV. Filiación

Caso 103

Resumen: A falta de posesión de estado, los demandantes, hijos del presunto hijo del demandado, carecen de legitimación. Se anula la sentencia de la Audiencia.

Auto: TS, Sala Primera, de lo Civil, 9-5-2018 (SP/SENT/952636).

Argumentación jurídica: La falta de posesión de estado, los demandantes, hijos del presunto hijo del demandado, carecen de legitimación.

Procede por ello estimar el segundo motivo del recurso de casación, anular la sentencia de la Audiencia, estimar el recurso de apelación interpuesto en su día por el demandado y desestimar la demanda, dada la falta de legitimación de los demandantes.

Caso 104

Resumen: La recurrente no posee legitimación activa para impugnar el proceso de filiación, del que no solo no fue parte, sino que tampoco es heredera o causahabiente.

A falta de posesión de estado, los demandantes, hijos del presunto hijo del demandado, carecen de legitimación. Se anula la sentencia de la Audiencia.

Auto: TS, Sala Primera, de lo Civil, 22-3-2017 (SP/AUTRJ/897535).

Argumentación jurídica: Conforme a la recta interpretación del art. 511 LEC, y por lo que se refiere a la legitimación activa de D.ª Margarita, es claro que esta no puede interponer la demanda por no haber sido parte en el proceso de origen y no ser tampoco heredera o causahabiente de quienes lo fueron, ya que aún viven. En el procedimiento de filiación fueron parte el padre biológico de D.ª Margarita, es decir D. Carlos Ramón, y D.ª Adelaida.

Aunque esta primera conclusión impide ya la prosecución del proceso de revisión, existen otras razones que también justifican la inadmisión de la demanda.

Caso 105

Resumen: Carece la tía materna de legitimación para reclamar la filiación no matrimonial al no acreditar interés legítimo más allá de la relación de parentesco ya que si pretende la seguridad económica de su hermana podría esta accionar por sí misma.

Auto: AP Teruel, Sec. 1.ª, 64/2022, de 23 de junio. Recurso 77/2022 (SP/SENT/1166445).

Argumentación jurídica: Conforme a tal doctrina, en casos como el presente, en que se pretende la determinación de la filiación extramatrimonial materna del hijo tras el fallecimiento del mismo, no cabe apreciar un interés legítimo en ella para pretender tal filiación por la posesión de estado.

Si la progenitora directamente implicada en la relación paternofilial, y a quien se le puede reconocer un claro y actual interés no puede predicarse que sea el legítimo interés referido en el art. 131.1 del Código Civil, de la misma falta de legitimidad está viciado el de su hermana. Con ello a la demandante no se le puede reconocer la acción basada en el art. 131.1, por los argumentos expresados anclados en la interpretación conjunta del anterior con el art. 126 del mismo texto legal.

Con ello el motivo debería ser desestimado pues no se aprecia el error de derecho que se denuncia.

TERCERO. No obstante lo anterior, aunque no se compartiera la doctrina expuesta y se prescindiera de la ratio del precepto, tampoco podría predicarse la legitimación de la hermana de la progenitora por la misma vía. Cierto es que la legitimación la otorga el precepto no solo a las partes en la relación paternofilial, el precepto admite la legitimación de un tercero. Ahora bien, en cualquier caso ha de acreditarse la existencia de un interés legítimo, interés para el que no basta alegar una relación de parentesco, pues tratando de identificar el concepto en palabras del mismo autor referido: se afirma que solo debe considerarse persona con interés legítimo, el titular de un derecho cuya efectividad dependa de que el supuesto hijo del supuesto progenitor lo sea realmente, de tal manera que solamente si lo es, el reclamante será titular del derecho en cuestión.

Desde esta perspectiva, a título de ejemplo, se identifican supuestos en que es posible reconocer interés legítimo a terceros, como sería a los posibles herederos a título intestado o forzosos del presunto hijo ya fallecido; los herederos del presunto hijo; quienes tendrían derecho a reclamar una pensión de alimentos tanto del progenitor como del presunto hijo; o si el derecho a percibir una herencia depende de que una persona fallezca sin hijos.

En definitiva se dice que solo el tercero (no progenitor o hijo) que puede justificar que de la determinación de la filiación depende la adquisición, directa o indirecta, de la titularidad de un derecho susceptible de ser inmediatamente ejercitado debe considerarse persona con interés legítimo.

Pues bien, con lo anterior no puede reconocerse en la demandante el interés legítimo esgrimido en la demanda. Así, en cuanto al aludido interés de proteger económicamente a su hermana, no cabe en el definido concepto. Además, y principalmente, la progenitora vive y es capaz y es la parte demandada en este procedimiento, técnicamente se opone a la demanda por razón de su rebeldía procesal, no obstante haber reconocido su maternidad en el interrogatorio; tal complejidad y el hecho de poder representarse por sí misma, impide reconocer el interés alegado como apto para ser considerado propio de la demandante, o en representación de su hermana.

En cuanto al interés propio alegado, consistente en la posibilidad de que su hermana (la progenitora) le premuera y con ello la posibilidad de heredarla. No es un derecho que pueda surgir, ser eficaz e inmediatamente ejercitado, tras la determinación de la filiación que se pretende. Pues, el hecho alegado, depende de un hecho distinto, futuro e incierto, como es la aludida premoriencia. Lo esgrimido no es un derecho sino una expectativa, por lo que, en definitiva, el interés legítimo alegado no es tal pues no es actual, ni real, ni susceptible de inmediata satisfacción y por ello no sirve para legitimar a la actora para el ejercicio de la acción prevista en el art. 131.1 del Código Civil.

V. Menores

Caso 106

Resumen: Se inadmite la apelación por falta de legitimación de la recurrente, madre biológica de menor respecto de la que se ha tramitado adopción, puesto que no fue parte en el proceso inicial ni instó demanda para determinar la necesidad de su asentimiento.

Auto: AP Cádiz, Sec. 5.ª, 38/2020, de 14 de febrero. Recurso 1691/2019 (SP/AUTRJ/1048678).

Argumentación jurídica: Estuvo en la mano de la progenitora biológica recurrente en queja la iniciación de tal procedimiento para determinar la necesidad de su asentimiento en la adopción, pero no lo hizo. En consecuencia, al haber sido simplemente oída, carece de legitimación para recurrir el auto de adopción. Cuestión distinta es la posible nulidad del procedimiento de adopción, que se dice haber interpuesto, si ha existido un defecto procesal originador de indefensión en la notificación, si no se le informó debidamente de la posibilidad de presentar demanda solicitando la necesidad de asentimiento para la adopción, la forma de hacerlo y el plazo.

En el presente caso, partimos de que efectivamente se ha realizado correctamente dicha notificación y voluntariamente se ha desistido o dejado correr el plazo sin hacerlo. Supuesto en el que la intervención en el expediente será solo para su audiencia sin que obligue lo que diga al tribunal que deba resolver la adopción y careciendo por tanto de legitimación para recurrir el auto que la acuerda, pues ya lo asevera el artículo mencionado (art. 781

Lec) cuando señala que (...) no admitiéndose ninguna reclamación posterior de los mismos sujetos sobre la necesidad de asentimiento para la adopción de que se trate (...) lo que comporta también, la imposibilidad de recurrir la resolución que la acuerde.

Caso 107

Resumen: Falta de legitimación activa el apelante para oponerse al acogimiento preadoptivo del menor: no ha sido acogedor, ni se dan los requisitos de la guarda de hecho, solo han convivido un tiempo y ha ayudado a los padres.

Auto: AP Tarragona, Sec. 1.ª, 99/2017, de 4 de abril. Recurso 102/2017 (SP/AUTRJ/911454).

Argumentación jurídica: Lo que pretende el apelante es la impugnación del acogimiento preadoptivo y que se le designe acogedor en familia extensa lo que fue descartado en la síntesis evaluativa de 14 enero 2016.

El artículo 780 LEC reconoce legitimación para formular oposición a las resoluciones administrativas en materia de protección de menores, siempre que quien lo haga tenga interés legítimo y directo en la resolución, señalando entre otros, a los progenitores, a los acogedores y guardadores, y de la propia resolución que se impugna resulta que el apelante D. Pío, padrino de ambos menores, "ha convivido un tiempo con Cristóbal, y ayuda a los progenitores en aspectos más vitales", lo que significa pura y simplemente que ha cohabitado un tiempo y presta ayuda a los padres como manifestación del deber ético y de solidaridad entre las personas que tienen vínculos religiosos o morales, no que sea un acogedor lo que exigiría una resolución administrativa, cuando todas las partes están de acuerdo, o la resolución judicial, cuando los padres no consienten el acogimiento familiar judicial (art. 125 Ley 14/2010, 27 mayo), ni un guardador de hecho que es la situación contemplada en el art. 225-1 CCCat para referirse a la persona que tiene el cuidado de un menor o de una persona en la que se da causa de incapacitación, si no está en potestad parental o tutela, o los titulares de estas funciones no las ejercen, lo que tampoco ocurre en el caso porque las Resoluciones de desamparo de los menores de 27 mayo y 8 octubre 2015 no suspenden la potestad a los progenitores que la siguieron ejerciendo.

En lógica consecuencia, no está el apelante legitimado para oponerse a la resolución administrativa, y esta legitimación es un presupuesto de orden público apreciable de oficio por el Juez en el inicio del proceso por ser necesario para su valida constitución, conforme a reiterada jurisprudencia del Tribunal Supremo (STS 15 noviembre 2011, 2 abril 2012 y 2 abril 2014, entre otras), sin que la resolución recurrida haga supuesto de la cuestión más bien quien lo hace es el apelante que parte de un hecho o condición que ni tiene, ni en ningún caso acredita, razones por las que no puede accederse a la admisión y menos aún a la acumulación de su pretensión a la que ya formularon los progenitores en oposición al acogimiento preadoptivo acordado.

Caso 108

Resumen: Falta de legitimación activa de los abuelos para instar la constitución de la tutela de la menor, es la entidad pública la legitimada, pues la niña se encuentra en acogimiento simple bajo la guarda de la Administración.

Sentencia: AP Lleida, Sec. 2.ª, 232/2012, de 4 de junio. Recurso 248/2012 (SP/SENT/684333).

Argumentación jurídica: Por lo que se refiere a la legitimación activa de los abuelos el precepto que invocan los apelantes (art. 222-14-1, en relación con el art. 222-10 2c)) sería de aplicación al caso si se dieran las circunstancias previstas en el mismo, es decir, de personas que tienen al menor bajo su guarda, pero no es este caso puesto que según consta en las actuaciones la nieta de los recurrentes, Montserrat, fue declarada en situación de desamparo mediante resolución del Departament de Benestar Social de 2-5-1995, asumiendo las funciones tutelares. Inicialmente estuvo bajo la custodia provisional de los abuelos maternos, pero por resolución de 11 de agosto de 2010 se acordó mantener el ejercicio de la funciones tutelares y mantener la medida de protección de acogimiento simple en institución, en el CRAE Les Garrigues (en el que estaba ingresada desde el 28-1-2010), delegando la guarda de la menor en la directora de dicho centro. Siendo esto así, no resulta de aplicación el 222-14-1 CCCat sino el párrafo segundo del mismo preceptos, según él es la entidad pública competente en materia de menores la que ha de instar la constitución de la tutela de los menores desamparados que tenga a su cargo. Y si este precepto se pone en relación con el art. 757-4.º de la LEC –la incapacitación de los menores de edad, en los casos que proceda conforme a la Ley, solo podrá ser promovida por quienes ejerzan la patria potestad o la tutela– la consecuencia no puede ser otra que la indicada en la sentencia de instancia, por lo que procede desestimar este primer motivo de recurso.

VI. Abuelos

Caso 109

Resumen: Carece la abuela de la menor de legitimación activa para recurrir la declaración de desamparo al no acreditar que tuviera a la nieta bajo su guarda y custodia por la vía de hecho.

Auto: AP Valladolid, Sec. 1.ª, 187/2021, de 29 de diciembre. Recurso 201/2021 (SP/AUTRJ/1135164).

Argumentación jurídica: El procedimiento que nos ocupa es el previsto en el art. 780 LEC. de oposición a las resoluciones administrativas en materia de protección de menores, entre ellas y por lo que ahora interesa la de inadecuación del ofrecimiento para acogimiento. Para el ejercicio de tal oposición están legitimados siempre que tengan interés legítimo y directo en tal resolución, los progenitores, tutores, acogedores, guardadores, el Ministerio Fiscal y aquellas personas que expresamente la ley les reconozca tal legitimación.

Los supuestos de legitimación legal previstos en el art. 780.1 LEC se constituyen en verdaderos requisitos de procedibilidad, de modo que, si no consta suficientemente la condición de legitimados ab initio, lo que procede es la inadmisión de la demanda in limine litis, pues solo aquellos que reúnen la condición legal de legitimados pueden ejercitar la acción.

Dentro del elenco de legitimados que se establece en el art. 780.1 LEC no se legitima a parientes distintos de los progenitores. En consecuencia, la condición de abuela de la menor no es condición suficiente de legitimación para oponerse a la declaración administrativa de desamparo. Solo sí la abuela fuese guardadora de hecho de la menor, estaría legitimada por mor de tal condición, pero no como pariente directa de la menor. Ni dicha condición de guardadora de hecho, ni ninguna otra de las previstas en el art. 780.1 LEC se invoca en la demanda de oposición de la declaración administrativa de desamparo. Ninguna prueba o principio de prueba se acompaña que acredite tal condición, más allá de los documentos que prueban el deseo y los intentos procesales de la abuela de ostentar la custodia de su nieta.

Por el contrario, en nuestro auto n.º 147/2020, dictado en el Rollo de apelación 653/2019, procedente de otro procedimiento de oposición a medidas de protección de menores (en aquel caso, a la declaración de desamparo) instado también por la abuela de la menor, ya nos hacíamos eco del relato de hechos probados de la sentencia dictada en el Sumario 26/18 de la Sección Segunda de esta Audiencia Provincial seguido contra los progenitores de la menor, del que resultaba que la abuela de la menor no ha ejercido en ningún momento la guarda de hecho de la misma, aunque durante unos meses la madre de la menor viviera en el domicilio de aquella. La custodia de la menor siempre la tuvieron los padres, aún durante ese breve tiempo en que la madre convivió con la menor en el domicilio de la abuela. Y esta situación se prolongó hasta agosto de 2017. Desde agosto de 2017 y hasta la actualidad la niña ha estado custodiada por la Administración, primero en régimen de acogimiento residencial y, después, en régimen de acogimiento familiar con familia ajena.

Y como también apuntamos en aquella resolución, con independencia del afecto entre una abuela y su nieta, lo cierto es que no existe prueba o indicio concluyente alguno que permita considerar que la abuela haya ostentado su efectiva guarda o custodia de hecho (que comprende no solo el afecto, que puede concurrir o no, sino también el ejercicio de hecho de las funciones de la patria potestad o de la tutela) y, en consecuencia, que posea legitimación para oponerse a la resolución administrativa dictada.

La resolución recurrida debe ser, pues, confirmada.

VII. Patria potestad

Caso 110

Resumen: Carece el padre de legitimación para solicitar o modificar los alimentos de las menores al estar las mismas bajo la tutela de la Administración y en acogimiento familiar pues está privado de la patria potestad.

Sentencia: AP Madrid, Sec. 24.ª, 653/2021, de 1 de julio. Recurso 1283/2020 (SP/SENT/1116578).

Argumentación jurídica: Cuando existe un acogimiento familiar permanente convencional, cuál es el presente, no puede dejarse sin efecto, ni modificarse o regularse a través de un proceso matrimonial, sino que su cese o modificación debe solicitarse de la Entidad Pública que asumió la tutela administrativa y autorizó el acogimiento, ya que no existe laguna legal por la que se deba acudir a aquellos procesos para resolver las incidencias derivadas del acogimiento. Dentro de un procedimiento de separación o divorcio no se pueden acordar las medidas relativas a la guarda y custodia, alimentos a favor del menor acogido, ni atribución del uso del hogar familiar, debería ser la entidad pública, quien a la vista de las nuevas circunstancias adoptase las medidas más beneficiosas para el menor. Precisamente en un caso similar al que enjuiciamos, que decidió en grado de apelación la Sección Cuarta de la Audiencia Provincial de Bizcaia, por Auto de 23 marzo 2006, los acogedores, que se separaron de mutuo acuerdo y eran abuelos maternos de la menor, no sometieron el convenio regulador respecto de esta al control del Órgano Judicial, sino que lo hicieron al departamento de Acción Social de la Diputación Foral de Bizcaia a efectos de guarda y régimen de visitas. Al final la diputación foral lo que acordó fue cesar el acogimiento administrativo permanente con sus abuelos maternos y promover el acogimiento familiar judicial permanente de la menor con su abuela materna, si bien proponiendo los extremos previstos en el artículo 173.2 del Código Civil, y entre los derechos y obligaciones de las partes, se establece un régimen de visitas con el abuelo materno. Por tanto, en caso de separación o divorcio de los acogedores será la Autoridad pública administrativa, tutora del menor y autorizante del acogimiento, la que de oficio o instancia de parte habrá de decidir sobre el cese del acogimiento o su modificación y, en su caso, términos de esta. 3. Ahora bien, el interés superior del menor impide que se cree una desatención de este en tanto en cuanto la Autoridad administrativa adopta la decisión a que hemos hecho mención, pues mientras ello no suceda ambos acogedores lo siguen siendo y tienen la común obligación de "velar por él, tenerlo en su compañía, alimentarlo, educarlo y procurarle una formación integral" (artículo 173.1 CC). De ahí que la sentencia de la Sección 18.ª de la Audiencia Provincial de Barcelona, de fecha 26 marzo 2010, afirme que en sentencia se establezca la cantidad en que deba contribuir el acogedor no custodio a los gastos y necesidades del menor, así como medidas de carácter personal para mantener la vinculación afectiva que hasta la fecha había existido, sin perjuicio de que se haya de estar a lo que más adelante decida el Ente público sobre el acogimiento a la vista de la ruptura de vida en común de los acogedores, como así sucedió.

La aplicación de tal doctrina impone la desestimación del motivo, por falta de legitimación del padre para la reclamación de alimentos.

VIII. Personas con discapacidad

Caso 111

Resumen: Se estima recurso por falta de legitimación activa del guardador de hecho de persona no incapacitada judicialmente, máxime teniendo en cuenta que hasta un tutor requiere autorización para interponer demanda, salvo urgente necesidad o escasa cuantía.

Sentencia: AP Murcia, Sec. 4.ª, 277/2015, de 21 de mayo. Recurso 253/2015 (SP/SENT/819612).

Argumentación jurídica: La sentencia recurrida en el fundamento de derecho segundo desestima la excepción de falta de legitimación activa. Se indica que está acreditada la incapacidad absoluta de la madre de D. Marino en base a la declaración prestada por los testigos que se refieren y por los informes médicos aportados a los autos, por lo que debe confirmarse la legitimación de D. Marino, hijo encargado del cuidado de la Sra. Porfirio, como guardador de hecho, por aplicación de los artículos 304 del Código Civil y artículo 7.2 LEC...

... A la vista de lo antes referido debe estimarse la excepción de falta de legitimación activa, ya que el actor, D. Marino, no está legitimado para reclamar alimentos a favor de la madre y frente a los hermanos, pues no ostenta representación voluntaria ni legal de Doña Porfirio, en los términos que exige el artículo 7.2 de la LEC, pues la situación de guardador de hecho de la madre, que dice ostentar desde septiembre de 2008, motivada por la incapacidad de la misma, no le legítima para ejercitar acciones en defensa del derecho de que es titular la madre, quien no ha sido incapacitada judicialmente, ni ha conferido representación al actor para ejercitar derechos en su nombre. La legitimación en que se fundamenta la demanda no resulta de lo dispuesto en el artículo 304 del Código Civil, y ello teniendo en cuenta, además, que el tutor precisa autorización judicial para entablar demanda en nombre de los sujetos a tutela, salvo asuntos de urgente necesidad o de escasa cuantía, supuestos estos que no concurren tampoco en el presente caso.

El nombramiento de defensor judicial que se refiere en el procedimiento, y quien no ha tenido materialmente intervención en el mismo, no subsana la falta de legitimación activa, ya que en el procedimiento se mantuvo la condición de actor de D. Marino, dictándose la sentencia recurrida en virtud de lo solicitado en la demanda formulada en nombre del mismo.

Procede, pues, estimar el motivo de falta de legitimación activa y, por consiguiente, revocar la sentencia de instancia, sin necesidad de entrar a examinar el resto de los motivos alegados en los recursos, desestimando la demanda interpuesta.

Caso 112

Resumen: Falta de legitimación activa de tutor legal de incapaz para resolver contrato de aparcería por falta de pago de rentas siendo necesaria la autorización judicial previa para entablar demanda al ser también propietario de la finca.

Sentencia: AP Valladolid, Sec. 1.ª, 94/2011, de 1 de abril. Recurso 31/2011 (SP/SENT/631519).

Argumentación jurídica: La sentencia objeto del presente recurso de parte de la representación procesal de D. Samuel, dictada por ese Juzgado de 1.ª Instancia n.º 14 de Valladolid de fecha de 15-10-10, desestima la pretensión deducida en su demanda sobre desahucio, por falta de pago de las rentas pactadas y consiguiente reclamación de cantidad respecto de referidas rentas (47.983,07 €), por considerar apreciable al caso de autos la excepción inicial y previa a la oposición planteada sobre la principal acción ejercitada, por la parte demandada D. Aureliano, de falta de legitimación activa para interponer la referida demanda, en representación de su hermano incapaz Luis María (declarado en situación de incapacidad plena por Sentencia de fecha de 1-9-95), sobre cuya tutela ejerce esa parte actora (por nombramiento de Auto de fecha de 3-12-07), por carecer de la preceptiva autorización judicial para poder demandar en juicio, excepción alegada por el demandado, junto con la falta de litis consorcio pasivo necesario, al ser los titulares del contrato de aparcería, suscrito en fecha de 25-2-92 (pero vigente ya con anterioridad, desde 1980), en la actualidad una Comunidad de Bienes integrada por 4 hermanos, constituida al efecto para la explotación de fincas rústicas, incluida la de autos: finca granja Quiñones de la localidad de San Martín de Valvení (Valladolid).

SEGUNDO. Efectivamente, el actor, D. Samuel, tutor legalmente nombrado al efecto, de su hermano Luis María, declarado totalmente incapaz, quien es total usufructuario de la finca objeto del contrato de aparcería vigente, al tiempo que titular dominical en un porcentaje estimado del 24 %, en el que concurre con otros hermanos, acciona en resolución del contrato vigente de aparcería, por falta de pago de las rentas pactadas y en reclamación de las mismas, según las estimaciones que de forma unilateral realiza en su demanda (las que, según lo pactado, exigen una previa y formal liquidación de la producción agrícola, con consideración de todos los rendimientos y gastos a considerar que se realiza, según costumbre y dinámica del propio contrato de aparcería, por año agrícola vencido) y ello, pese a que en el cuerpo de su demanda, argumenta sobre la expiración y vencimiento de los plazos legales de duración del contrato, prórrogas incluidas en su caso, conforme a la legislación especial de Arrendamientos Rústicos, vigentes. Pero, efectivamente, va a resultar que dado el carácter de representación de un incapaz, sobre cuya tutela ejerce, con el que acciona, le resulta de plena e ineludible aplicación lo prevenido en el art. 271 del Código Civil, según el cual, el tutor, necesita autorización judicial (previa) para entablar demanda en nombre del incapaz, salvo que se trate de asuntos urgentes o de escasa cuantía.

No va a resultar así el caso de autos, donde, la urgencia de necesaria apreciación, carece de toda prueba, incluso de mención o exposición desde el momento mismo de interposición de la demanda, sobre la que en nada se argumenta. Urgencia que, luego de celebrado el juicio, con toda su prueba, va a resultar inexistente, en una cuestión relativa a la extinción de un contrato de aparcería, sobre el que, no consta en autos, haya sido problema alguno ni perjudicial o antieconómico para su titular incapaz, luego de tan largo período de vigencia, o al menos nada se ha argumentado ni acreditado sobre ese particular. Nada se fundamenta sobre la conveniencia, para el incapaz, al menos de obtener su extinción, con el demandado (comunidad de bienes), ni siquiera respecto de la reclamada cantidad que se dice adeudada, deducida unilateralmente por esa parte actora (por media aritmética de los productos obtenidos en los dos años anteriores) y sobre la que pende su preceptiva, necesaria y previa liquidación, conforme se realizara en ejercicios anteriores, reclamándose (demanda interpuesta a comienzos del 2010, Febrero) sobre el solo año anterior 2009, pendiente aún de realizar la correspondiente liquidación (incluso de contabilizar las ayudas obtenidas por la PAC, que se repartían al 50 %), en julio del año siguiente, terminada y facturada totalmente la campaña agrícola. Todo lo cual, unido a la razonable probabilidad de un conflicto de intereses entre tutor y tutelado, en tanto en cuanto que no queda muy aclarado cuales son los intereses particulares que, sobre la finca (de cotitularidad entre hermanos) pueda ostentar el actor, aconsejan aún más la necesaria y preceptiva autorización judicial previa a la interposición de toda demanda.

Procesos de propiedad horizontal

I. Privación indebida del derecho de voto

Caso 113

Resumen: Falta de legitimación para impugnar el acuerdo por el hecho de que se privara indebidamente de voto a algún copropietario distinto al que formalizó la demanda.

Sentencia: TS, Sala Primera, de lo Civil, 496/2012, de 20 de julio (SP/SENT/687892).

Argumentación jurídica A) Las sentencias dictadas por esta Sala en las que la parte recurrente funda el interés casacional de este motivo de su recurso, no declaran la legitimación de aquellos copropietarios que, pese a no haber sido privados de su derecho a voto, impugnan los acuerdos adoptados por la comunidad de propietarios por tal motivo. La reciente STS de 14 de octubre de 2011 [RC 635/2008] al examinar la legitimación de un comunero que no está al corriente de pago de las cuotas comunitarias, ha declarado en relación al artículo 18 LPH «El artículo establece una regla de legitimación y un requisito de procedibilidad. La primera limita la posibilidad de impugnar los acuerdos de la junta de propietarios a los propietarios que hubiesen salvado su voto en la Junta, a los ausentes por cualquier causa y a los que indebidamente hubiesen sido privados de su derecho de voto». Del mismo modo, la STS 18 de diciembre de 2005 RC 2469/2003, ha señalado «Con mención a la impugnación de los acuerdos de la Junta de Propietarios, en los supuestos detallados en las letras a), b) y c) del artículo 18, este precepto dispone que estarán legitimados los propietarios que hubieren salvado su voto en la Junta, los ausentes por cualquier causa y los que indebidamente hubieren sido privados de su derecho de voto. La actora tiene la facultad de actuar en su propio nombre en el proceso, pero no en beneficio de otros propietarios, que no han impugnado el acuerdo de la Junta y, por consiguiente, han mostrado su conformidad con lo decidido, amén de que la demandante no ostenta poder de representación de esos comuneros, por lo que carece de legitimación activa para litigar por ellos».

B) La aplicación de esta jurisprudencia al supuesto que se examina exige la desestimación del motivo del recurso. Nada impide que los recurrentes, como así han hecho, puedan impugnar ciertos acuerdos adoptados en un junta de propietarios por considerar que no se aprobaron con las mayorías exigibles o de algún otro modo vulneraron la LPH, pero no puede sustentarse su acción en el hecho de que se privara indebidamente del derecho a votar a algún copropietario distinto de los que formalizaron la demanda origen del pleito. Solo este comunero estaría legitimado para impugnar el acuerdo por tal motivo, del mismo modo que solo quien haya acudido a la junta y haya salvado su voto estará legitimado para impugnar, sin que aquel propietario que no lo haya salvado pueda sustentar una acción fundada en tal circunstancia.

II. Para impugnar acuerdos en casos de abstención

Caso 114

Resumen: No está legitimado para impugnar el acuerdo el comunero que no votó en contra del acuerdo ni salvó su voto sin que baste la mera abstención para poder hacerlo.

Sentencia: AP Madrid, Sec. 10.ª, 29/2022, de 14 de enero (SP/SENT/1138402).

Argumentación jurídica: El acta de la junta impugnada, aportada como documento núm. 5 de la demanda, en lo que se refiere a la controversia, recoge en el punto 6.º los asuntos tratados: "Camino a seguir con el servicio de portería. Propuesta cambio a conserjería: contrato a tiempo parcial, contratación empresa de servicios, acondicionamiento sótano para cuarto de baño, etc.".

No consta en ningún lugar de dicho punto que el demandante hiciera constar su voto en contra, ni aportó prueba alguna a este respecto. No pudiendo presumirse dicho voto negativo por una situación de conflicto con la comunidad que no se pone de manifiesto en el acta.

Cualquier otra alegación vertida en el recurso resulta meramente argumentativa y no refleja la doctrina jurisprudencial indicada. No basta no formular voto (abstención) es necesario, en una interpretación flexible, reflejar un voto contrario al acuerdo, lo que no consta en el presente caso; tampoco se hizo constar por el ahora recurrente que no se hubiese votado el punto al que se refiere en su demanda; no pudiendo entenderse que le pasase desapercibido, si tanto interés tenía en ello, y no pidiese que se hiciera constar dicha anomalía.

III. Para impugnar acuerdos por no estar al corriente de pago

Caso 115

Resumen: Falta de legitimación activa de los propietarios que pretendían la impugnación de un acuerdo al no estar al corriente de pago ni haber consignado las cantidades debidas, pues no se trataba de un acuerdo referido a la distribución de gastos.

Sentencia: TS, Sala Primera, de lo Civil, 604/2014, de 22 de octubre. Recurso 1959/2012 (SP/SENT/787657).

Argumentación jurídica: La segunda razón, no invocada por la Audiencia, guarda relación con la excepción legal al requisito de procedibilidad. Contrariamente a lo argumentado en el recurso, la excepción no concurre en el caso.

Examinada la demanda, los acuerdos cuya nulidad pretendieron los recurrentes no se referían al establecimiento o alteración de las cuotas de participación, que son las que, por disposición del artículo 3.b) de la Ley de Propiedad Horizontal, se atribuyen a cada piso o local con relación al total del valor del inmueble y referidas en centésimas del mismo.

Los recurrentes solicitaron la nulidad de determinados acuerdos adoptados en dos Juntas.

Pues bien, por lo que se refiere a la Junta de Propietarios celebrada el día 25 de julio de 2009, los acuerdos en ella adoptados trataban de la aprobación de cuentas, aprobación de presupuesto 2009-2010 y renovación de cargos. Como resulta de su lectura, ninguna conexión tenían con las cuotas de participación. Por lo tanto, en relación con esta Junta la falta de legitimación de los actores estuvo correctamente declarada por la Audiencia.

Por lo que se refiere a la Junta celebrada el 13 de Diciembre de 2008, el acuerdo impugnado trataba de la aprobación de una nueva cuota a cuenta de los gastos del año 2009.

Para pronunciarse sobre este acuerdo conviene recordar que la Sala tiene establecido en su sentencia número 613/2013, de 22 de octubre, que «se incluyen en el ámbito de la excepción no solo los acuerdos que modifiquen la cuota de participación fijada en el título y prevista en el párrafo segundo del artículo 5 de la Ley de Propiedad Horizontal, sino también los demás acuerdos que establezcan un sistema de distribución de gastos, bien sea de manera general, bien para algunos gastos en particular, y tanto cuanto el referido sistema de distribución de gastos se acuerde con vocación de permanencia o para una determinada ocasión».

Pues bien, las alegaciones de la demanda en relación con el enunciado del acuerdo podrían llevar a la conclusión de que la Junta de Propietarios, si bien no alteró las cuotas de participación, sí introdujo un sistema nuevo de distribución de gastos. Pero examinado el acuerdo, esa posibilidad de admitir la excepción al requisito de procedibilidad desaparece, porque la Junta se limitó a aumentar la contribución a los gastos para el año 2009, lo que no equivale a incorporar o imponer un sistema nuevo de distribución de gastos.

Por lo tanto, también en relación con esta Junta, la falta de legitimación de los actores estuvo correctamente declarada por la Audiencia.

En definitiva, examinados todos los acuerdos no existe razón para modificar la decisión de la Audiencia Provincial ya que ninguno de ellos pertenece a la clase de acuerdos que, según la doctrina de la Sala, generarían una excepción al requisito de procedibilidad.

CUARTO. Frente a lo anterior, que constituye la razón de la decisión de la Sala, es improcedente argumentar que la misma Audiencia que dictó la sentencia recurrida ya había dictado otra en la que se confirmó la nulidad de la Junta Extraordinaria de la Asociación de Propietarios DIRECCIÓN000 Fase DIRECCIÓN001 celebrada el 20 de febrero de 2010. Si la razón de la nulidad fue entonces —argumentan los recurrentes— la defectuosa convocatoria de la Junta por desconocer la titularidad de las parcelas, también deben ser declaradas nulas las Juntas a que se refiere la demanda en cuanto al haber sido celebradas en los años 2008 y 2009 es obvio que concurría la misma causa de nulidad.

Pero —y por ello la falta de fundamento de esta argumentación— sucede que en el caso anterior no se planteó —ahora sí— la falta de legitimación de los demandantes para impugnar los acuerdos de la referida Asociación de Propietarios.

IV. Para impugnar acuerdos por no hallarse los integrantes al corriente de pago de sus cuotas y tratarse de un acuerdo de individualización de gastos

Caso 116

Resumen: Falta de legitimación de la asociación demandante para la impugnación de los acuerdos al no hallarse sus integrantes al corriente de pago de las cuotas comunitarias y tratarse de un acuerdo de individualización de gastos comunes.

Sentencia: TS, Sala Primera, de lo Civil, 799/2011, de 6 de febrero de 2012. Recurso 2030/2008 (SP/SENT/662610).

Argumentación jurídica: Pues bien, dicha doctrina jurisprudencial no ha podido resultar infringida por la sentencia recurrida, por cuanto esta, al estimar la falta de legitimación activa de la asociación demandante/recurrente, no ha resuelto sobre el objeto litigioso consistente en la impugnación de los acuerdos adoptados en junta celebrada el 30 de junio de 2006. Efectivamente, la sentencia objeto de recurso de casación, confirmó íntegramente la sentencia dictada en primera instancia, al entender plenamente acreditado en el proceso la falta del requisito de procedibilidad establecido en el artículo 18.2 LPH, consistente en no hallarse los copropietarios integrantes de la asociación al corriente en el abono de las cuotas comunitarias. Asimismo, concluyó que los acuerdos cuya impugnación se realizaba no afectaban al establecimiento o alteración de las cuotas de participación, como único supuesto en el cual el precepto referenciado, excluye la regla general de estar al corriente en el pago de las cuotas para hallarse legitimado activamente. No obstante lo anterior, la parte recurrente obviando la estimación de la excepción de falta de legitimación activa de dicha parte, pretende combatir a través del presente recurso de casación el razonamiento esgrimido a mayor abundamiento por la sentencia recurrida sobre la individualización de los gastos, sin que sea posible al haber resultado estimada la excepción de falta de legitimación activa alegada de contrario y que deslegitima a la parte demandante para formular la demanda al no cumplir con los requisitos que la LPH exige para hallarse legitimado activamente.

V. Por tener conocimiento de la existencia de las deudas, aunque se hubieran abonado otras

Caso 117

Resumen: Falta de legitimación activa debido a que pese a la existencia de varias deudas, algunas abonadas, se tenía conocimiento de la existencia de otras respecto de las que no se estaba al corriente de pago.

Sentencia: AP Córdoba, Sec. 1.ª, 710/2020, de 6 de julio. Recurso 958/2019 (SP/SENT/1068484).

Argumentación jurídica: En el presente procedimiento nos encontramos que en la demanda el actor indica que es propietario de un local sito en la AVENIDAOOO n.º NÚMOOO de Córdoba. El 3 de mayo de 2016 se celebró una reunión de la Comunidad de Propietarios a la que no fue convocado. En dicha reunión se aprobó para la instalación de un ascensor una cuota extra de 2000 euros para los propietarios de las viviendas y que los propietarios de los locales pagarían según su coeficiente de participación en el total del edificio, fraccionándose el pago en 20 meses. La parte actora considera que se ha vulnerado la Ley y los Estatutos de la comunidad en cuanto a la válida convocatoria de la Junta General y se ha vulnerado el título constitutivo ya que los locales quedaban exceptuados de participar en los gastos de conservación y reparación de los portales de entrada a las viviendas y escaleras, no teniendo derecho de uso de tales elementos. Por todo ello solicita que se deje sin efecto el acuerdo de 3 de mayo de 2016.

En la contestación a la demanda se plantea la falta de legitimación activa al amparo del artículo 18.2 de la Ley de Propiedad Horizontal ya que el actor no estaba al corriente en el pago de las cuotas de la comunidad, teniendo conocimiento en la Junta General de febrero de 2017 (es decir, con anterioridad a la presentación de la demanda el 9 de mayo de 2017) que adeudada la suma 2.953,74 euros de los que solo abonó 1.080,90 euros. Por otro lado, indica que se le convocó mediante correo electrónico el 23 de abril de 2016 y el 6 de mayo de 2016 se le envió por correo electrónico el acta de la Junta. Por último expone la comunidad que la exoneración del título constituido debe interpretarse restrictivamente y no se contempla en los estatutos el tema del ascensor.

En la sentencia de instancia se estima la excepción de la falta de legitimación activa ya que si bien la administradora de la comunidad comunicó al actor el 8 de febrero de 2017 que adeudaba la suma de 1.080,98 euros y dicho importe fue abonado por el demandante, en la Junta de Propietarios de 20 de febrero de 2017 a la que asistió el demandante, se liquidó la deuda que mantenía con la comunidad por cuotas impagadas que ascendía a la suma de 1.067,54 euros por gastos de mantenimiento y conservación liquidados en la Junta de 25 de septiembre de 2014 y por otros gastos de los años 2014 a 2016 por importe de 635,10 euros, sin que dicha deuda hubiera sido satisfecha con anterioridad a la presentación de la demanda.

TERCERO. En el recurso de apelación se plantea que el demandante solicitó a las administradores que le comunicase las cantidades adeudadas y estas le indicaron que el importe ascendía a la suma de 1.080,98 euros, procediendo al abono de dicha deuda. Las cantidades que se dicen adeudadas y que se le comunicaron en la Junta de 20 de febrero de 2017 fueron incorporados al acta de la Junta mediante Diligencia, sin que dicha acta fuera notificada al apelante, que ha tenido conocimiento de la existencia de tales deudas en la audiencia previa de este procedimiento. Por último, indica la parte apelante que procede examinar el fondo del asunto y dejar sin efecto el acuerdo de 3 de mayo de 2016 por vulneración de lo dispuesto en el titulo constitutivo, concretamente en la letra C) apartado c).

CUARTO. La primera cuestión controvertida en el recurso de apelación viene referida a la estimación de excepción de falta de legitimación activa de conformidad con el artículo 18 de la Ley de Propiedad Horizontal que establece:

"... Para impugnar los acuerdos de la Junta el propietario deberá estar al corriente en el pago de la totalidad de las deudas vencidas con la comunidad o proceder previamente a la consignación judicial de las mismas".

En el presente procedimiento no es cuestión controvertida que la demanda se presentó el 9 de mayo de 2017 y que el 6 de febrero de 2017 el demandante/apelante solicitó a las administradoras que le informasen sobre el importe de su deuda con la comunidad, recibiendo comunicación que dicho importe ascendía a la suma de 1.080,98 euros y que dicha suma fue abonada por el Sr. Jesús María.

QUINTO. La controversia versa en la posible comunicación de la existencia de otras deudas en la Junta General de la Comunidad de Propietarios de 20 de febrero de 2017.

La parte apelante expone en su recurso que las cantidades adeudadas que se indicaron en dicha Junta de 20 de febrero de 2017 fueron incorporadas mediante diligencia adicional posterior a la celebración de la Junta, por lo que no tuvo conocimiento de la misma hasta el momento de la Audiencia Previa de este procedimiento y si hubiera tenido conocimiento con anterioridad a la presentación de la demanda, la hubiera satisfecho como hizo con el otro importe que se le comunicó el 6 de febrero de 2017.

SEXTO. Para resolver la cuestión planteada en el recurso resuelve conveniente examinar el acta la Junta de 20 de febrero de 2017.

La primera cuestión que debemos indicar es que en el listado de asistentes a la misma aparece D. Jesús María por el local 6, asistencia que no ha sido impugnada por el apelante.

El punto 1.º en el que se trató, entre otros temas, la "liquidación y acuerdos de las deudas de los propietarios con cuotas pendientes de pago", se indica respecto al local 6 las siguientes deudas:

– Por gastos de mantenimiento y conservación liquidadas en Junta General Ordinaria de fecha 25 de septiembre de 2014 por importe de 1.067,54 euros.

– Cuota por el seguro comunitario de los años 2014, 2015 y 2016, por arreglo de la junta de dilación (*sic*), por servicios del jardinero, por poda de árboles, por individualización de tuberías, por pintura de fachada de locales y por rehabilitación de fachada comunitaria. El importe total por estos gastos asciende a 635,10 euros.

Respecto a estas deudas, el acta indica que "los propietarios de los locales 5 y 6 están presente en esta Junta General y reconocen sus respectiva deudas, por lo que se dan por comunicadas y se aprueba por unanimidad de los asistentes, que se les reclama judicialmente".

Por lo tanto, a tenor de este último párrafo resulta que el apelante, asistente en la Junta, tenía conocimiento de la existencia de dos deudas por importe de 1.067,54 euros y de 635,10 euros ya que le fueron notificada en dicha Junta de 20 de febrero de 2017.

SÉPTIMO. Plantea la parte apelante que dichas deudas fueron incorporadas al acta con posterioridad a la celebración de la junta mediante una diligencia adicional, por lo que no tuvo conocimiento de las mismas hasta la audiencia previa de este procedimiento.

Para resolver dicha cuestión resulta procedente atender al punto 3.º del acta de la reunión de 20 de febrero de 2017 que lleva como rúbrica "Informe y acuerdos sobre la documentación que hay que presentar en la Consejería de Fomento y Vivienda de la Junta de

Andalucía para que nos paguen el resto de la subvención concedida en las obras de la instalación del ascensor". En este extenso punto se indica literalmente:

"A continuación se debate sobre este asunto y se toman los siguientes acuerdos:

1. Que todos y cada uno de los propietarios paguen sus respectivas cuotas extraordinarias... El propietario del local 6 Jesús María, presente en esta Junta General tiene voz pero no voto por que tiene una deuda de 635,10 euros con esta comunidad a la fecha de esta Junta".

Y al final del acta se incluya la siguiente DILIGENCIA:

"Para hacer constar que en el tercer punto del orden del día, en el acuerdo número 1, por error, al propietario del local 6 D. Jesús María se le ha omitido la deuda de 1.067,54 euros que tiene con esta comunidad".

Por lo tanto, no ha existido esta falta de comunicación de las dos deudas al apelante ya que como indicamos en el fundamento jurídico anterior, la existencia de las dos deudas se comunicó al apelante en el punto 1.º, existiendo tan solo una omisión en el punto 3.º en el que no se hizo referencia a la deuda de 1.067,54 euros, lo que tampoco afectaría a la decisión de la juzgadora de instancia, ya que en cualquier caso seguiría el apelante teniendo conocimiento de la existencia de una deuda (en este caso de 635,10 euros) desde el 20 de febrero de 2017 y que la misma no había sido satisfecha en el momento de la presentación de la demanda el 9 de mayo de 2017.

Por todo lo expuesto, procede desestimar este motivo de apelación y la confirmación de la decisión judicial en cuanto a la estimación de la falta de legitimación activa, sin que procede el examen del fondo del asunto.

VI. Por no haber demandado a propietarios que ejecutaron obras similares

Caso 118

Resumen: Falta de legitimación activa del comunero que fue condenado a reponer las obras a su estado actual al demandar a la Comunidad por no haber demandado a propietarios que ejecutaron obras similares sin previamente haber sido debatido en Junta.

Sentencia: AP Valencia, Sec. 8.ª, 469/2012, de 27 de septiembre. Recurso 243/2012 (SP/SENT/700290).

Argumentación jurídica: Efectivamente tal como la sentencia de instancia también establece al final de su fundamento jurídico segundo, se considera que la apreciación de la legitimación activa, por parte de cualquier comunero, habrían de quedar reservada a aquellas posturas de orden radical por parte tanto del resto de los comuneros como de la propia comunidad que le impida el ejercicio de las facultades/deberes y obligaciones de los comuneros sobre la comunidad traduciéndose en impedir que tras el tratamiento de un tema cualquiera que este sea no se pueda acudir a la vía judicial, en este caso sí hay legitimación, además, se concluye en el penúltimo párrafo del fundamento jurídico segundo de la sentencia apelada "no habiendo intentado el demandante los cauces comunitarios a su alcance, ni habiendo alegando o justificado el porqué de ello, así lo pone de relieve la declaración testifical del administrador" entiende la sentencia de instancia que no está legitimado el actor no ya solo por falta de posibilidad de presumir interés en defender los elementos de la comunidad, con base simplemente a un agravio comparativo cuando ni siquiera ha dado cumplimiento a la sentencia que le condenaba a reponer las obras que en su momento lesionaron los elementos comunes, sino y lo que es más porque se considera que la simple lectura de las medidas que se solicitan, si es que son las que se solicitan, con la pericial denotan una invasión de elementos privativos innegable, absolutamente indiscutible, y basta leer el folio 44,47 o 51 entre otros muchos para que esta conclusión se alce de forma nítida como otro elemento más para impedir la estimación del recurso interpuesto.

Por todo lo dicho en atención a lo expuesto procede la desestimación del recurso interpuesto por el demandado, y en su mérito la confirmación íntegra de la sentencia apelada.

VII. Por no haber planteado la demanda junto con la copropietaria

Caso 119

Resumen: Confirma la falta de legitimación activa *ad causam* dado que el actor debió plantear la demanda junto con la copropietaria, pues no tiene por sí solo la disposición de la acción resolutoria que ejercita.

Sentencia: AP Valencia, Sec. 8.ª, 112/2011, de 1 de marzo. Recurso 806/2010 (SP/SENT/635987).

Argumentación jurídica: El inconveniente que se advierte cara al éxito de la demanda es el de la incorrecta configuración de la relación jurídico-procesal, al no haberse traído al pleito a Doña Enriqueta que, junto al actor, fue uno de los compradores en el contrato suscrito el 27 de Enero de 2006 y cuya resolución se pretende (documento número uno de la demanda al f. 10). Es reiterada la postura jurisprudencial que se muestra contraria a admitir la figura del litisconsorcio activo necesario como determinante de una excepción procesal (SS del TS de 13-7-95, 27-5-97, 26-1-99, 11-5-00, 11-4-03 y 26-1-09), en cuanto que nadie puede ser obligado a litigar, ni solo, ni unido con otro y la consideración de que la disponibilidad del sujeto demandante sobre el objeto de la demanda, no pueda ejercitarse sino en forma conjunta o mancomunada con otro sujeto, se traducirá, en su caso, en una falta de legitimación activa, basada en razones jurídico-materiales, que podrán conducir a una sentencia desestimatoria, pero nunca a una apreciación de la inexistente, legal y jurisprudencial excepción de falta de litisconsorcio activo necesario, ya que lo decisivo es si los demandantes tienen o no legitimación "ad causam" para reclamar (SS. del T.S. de 4-7-94, 14-7-97, 7-5-99 y 14-2-00). La legitimación activa exige una adecuación entre la titularidad afirmada y el objeto jurídico pretendido (SS del TS de 31-3-97, 28-12-01, 23-10-02 y 7-11-05, entre otras), y aunque tiene relación con el fondo del proceso, es presupuesto previo al mismo, pudiendo incluso ser apreciada de oficio, aun cuando no haya sido planteada por las partes en el período expositivo, ya que atañe al control de si se tiene interés legítimo para solicitar de los órganos judiciales una determinada resolución (SS del TS de 24-1-98, 30-6-99, 4-12-99, 20-1-00, 15-4-00, 26-4-01, 28-12-01, 15-10-02 y 14-11-02, entre otras). En este caso existe entre los adquirentes una comunidad en cuanto a los derechos de compraventa regida por las disposiciones de los artículos 392 y siguientes del Código Civil, en cuyas reglas se establece el principio del consentimiento unánime cuando se trate de alteraciones en la cosa común, aunque puedan resultar ventajas para todos (artículo 397 del Código Civil) y se ha de entender como una "alteración" el pedir la resolución del contrato que se disfruta en comunidad. Así pues, la no presencia como demandante de la Sra. Enriqueta ha producido una falta de legitimación 'ad causam', pues el actor presente en el pleito, no tiene por sí solo la disposición de la acción resolutoria que ejercita (SS del TS de 27-2-59, 28-2-80, 10-11-94 y 7-5-99, entre otras), o lo que es igual, carece de acción para solicitar la resolución del contrato de compraventa instrumentado el 27 de Enero de 2006, por incumplimiento de la contraparte, lo que, en principio, habrá de comportar la estimación del recurso y la revocación de la sentencia.

Proceso monitorio general

Por no acreditar la cesión del crédito en ejecución

Caso 120

Resumen: Tratándose de un proceso monitorio por reclamación de cantidad de un crédito, se había estimado la oposición a la ejecución por falta de legitimación activa de la parte ejecutante al no acreditarse la cesión del crédito inicialmente solicitada.

Auto: AP Asturias, Oviedo, Sec. 1.ª, 115/2020, de 21 de octubre. Recurso 36/2020 (SP/AUTRJ/1078732).

Argumentación jurídica: El Auto de 17 septiembre 2019 dictado por el Juzgado de Primera Instancia n.º 1 de Lena en el procedimiento POJ 110/2018-1, estima la oposición presentada por Don Doroteo frente al Auto de 18 marzo 2019 que despacha ejecución por importe de 3.001,64 euros de principal a instancia de "Hoist Finance Spain, S.L.", al acoger la falta de legitimación activa de la parte ejecutante por no constar demostrado que el crédito inicialmente solicitado a Finanmadrid, hubiera pasado después a "Avant Tarjeta Establecimiento Financiero de Crédito" —después denominada EVO FINANCE— pues en la cadena de sucesivas transmisiones del crédito la única que aparece en autos es la que opera desde la titularidad esta última a favor de "Hoist Finance Spain, S.L.", pero no así la transmisión desde la titularidad inicial de "Hoist Finance Spain, S.L.".

Proceso monitorio en propiedad horizontal

Porque la comunidad no existía en el tráfico jurídico

Caso 121

Resumen: Falta de legitimación activa para la petición inicial de juicio monitorio ya que en el momento de interponerse la demanda de juicio monitorio la comunidad de propietarios ya no existía como tal en el tráfico jurídico.

Sentencia: AP Madrid, Sec. 13.ª, 265/2019, de 12 de julio. Recurso 660/2011 (SP/SENT/1015283).

Argumentación jurídica: Habiendo adquirido firmeza la sentencia dictada por la Audiencia Provincial de Madrid, debe concluirse que la comunidad de propietarios dejó de existir por carecer de objeto desde el momento en que se dictó el acuerdo del Ayuntamiento el 22 de febrero de 2001, por medio del que se produjo la recepción de las zonas comunes, por lo que desde ese momento la comunidad de propietarios carecería ya de legitimación para reclamar suma alguna. La Comunidad, al margen de que la sentencia meramente declarativa fuese dictada años después, perdió su objeto y dejó de existir en la fecha mencionada. De ello se derivan dos consecuencias:

1.º Cualquier acuerdo posterior a esa fecha carece de validez y eficacia frente a los propietarios, pues se adopta por una entidad ya inexistente. Por ello, el acuerdo para interponer la reclamación judicial sería nulo de pleno derecho.

2.º La demanda se interpuso amparándose en un acuerdo nulo y por una Comunidad ya inexistente al haber dejado de existir años atrás.

3.º La legitimación de la parte demandante deviene de la propia existencia de la Comunidad y de los acuerdos que amparaban su reclamación, sin que pueda transformarse ahora a una reclamación en régimen de condominio ordinario pues ni es copropietaria, ni puede alterar los términos de su pretensión.

4.º La interpretación de la demandante apelada, según la cual podría seguir reclamando los gastos generados a la Comunidad hasta 2019 en que ganó firmeza la resolución que declaró su inexistencia, abocaría a la consecuencia absurda de que se estaría legitimando la pretensión de cobrar a una entidad inexistente y que pretende reclamar en base a un título (régimen de propiedad horizontal), que no existía desde 2001 y en relación a unos gastos inexigibles, tanto por quien lo reclama, como por su objeto, pues la sentencia señaló que desde 2001 no existían servicios exigibles en el marco de un régimen de propiedad horizontal sino, en su caso, de condominio ordinario, respecto del que la Comunidad carece de acción.

Por ello, la falta de legitimación activa debe ser estimada ya que, en definitiva, en el momento de interponerse la demanda de juicio monitorio la comunidad de propietarios ya no existía como tal en el tráfico jurídico. La existencia de un proceso de liquidación nada tiene que ver con lo que es objeto de esta litis, centrada en la reclamación de cuotas adeudadas en el marco de un régimen de propiedad horizontal. Si la comunidad de propietarios deviene inexistente por desaparición de su propio objeto, es claro que no puede pretenderse posteriormente que se le reconozca legitimación en el marco de un proceso de liquidación que no se ha promovido.

Reconvención

I. Por no haber planteado junto con el resto de los vendedores codemandados el cumplimiento del contrato de compraventa

Caso 122

Resumen: Falta de legitimación activa de la codemandada que plantea reconvención para ejercitar la acción de cumplimiento del contrato de compraventa, al tener que haber sido ejercitada simultáneamente por todos los vendedores demandados.

Sentencia: AP Granada, Sec. 4.ª, 9/2017, de 20 de enero. Recurso 470/2016 (SP/SENT/905798).

Argumentación jurídica: En cuanto a la estimación de la demanda reconvencional formulada únicamente por la codemandada D.ª Claudia, vuelve a reproducirse la excepción de falta de legitimación activa *ad causam* para ejercitar la acción de cumplimiento del contrato de compraventa sin haber sido ejercitada simultáneamente por todos los vendedores demandados. Como lo pedido es la condena al otorgamiento de la escritura pública de compraventa y el pago del resto del precio, el cumplimiento del contrato exige para los vendedores la entrega de la cosa, al menos mediante la *traditio* instrumental que conlleva el otorgamiento de la escritura pública (Art. 1.462 del Cc), y como la cosa resulta indivisible, porque se ha vendido como un todo y no por partes o porciones indivisas, el Art. 1.151 del Cc así lo dispone en cuanto a las obligaciones de dar cuerpo cierto), por lo que, de conformidad con el Art. 1.150 del Cc, han de comparecer todos los vendedores y compradores al otorgamiento. Además, el ejercicio de la acción de cumplimiento no habría de vincular a los demás, que no lo han solicitado, y podrían optar por la resolución del contrato. De ahí que no pueda uno de ellos ejercitar la acción sin el concurso de los demás. En este supuesto, dado que se trata de actos dispositivos, no puede actuar uno de ellos en beneficio de la comunidad

II. Por ser los reconvinientes partícipes sociales de la sociedad titular del derecho

Caso 123

Resumen: Falta de legitimación activa para formular reconvención dado que los reconvinientes son partícipes sociales de la sociedad titular del derecho.

Sentencia: AP Alicante, Elche, Sec. 9.ª, 594/2009, de 3 de noviembre. Recurso 424/2009 (SP/SENT/495854).

Argumentación jurídica: Mantienen en esta alzada el recurrente la excepción de falta de legitimación activa de los demandados para promover la acción ejercitada con su reconvención, ya que estos reclaman una supuesta deuda cuya titularidad es de la mercantil Puerto Cristal, S.L.

En este sentido, la STS de 28 de febrero de 2002 afirma que "La legitimación "ad causam" consiste en una posición o condición objetiva en conexión con la relación material objeto del pleito que determina una aptitud para actuar en el mismo como parte; se trata de una cualidad de la persona para hallarse en la posición que fundamenta jurídicamente el reconocimiento de la pretensión que se trata de ejercitar. Y en similar sentido se pronuncia la sentencia del Alto Tribunal de 30 de julio de 1999 al exponer que "prescindiendo de los distintos supuestos con que cierta parte de la doctrina científica e incluso la jurisprudencial ha estudiado la legitimación procesal, hay que estimar a la misma como un presupuesto de la cuestión de fondo que tiene que dilucidarse en una contienda judicial que concreta quién o quiénes tienen que ser parte en la misma para que la actividad jurisdiccional produzca todos sus efectos. En otras palabras que la parte procesal sea titular activa o pasivamente del derecho que se estudia en el proceso".

Pues bien, en el presente supuesto la actividad probatoria pone de manifiesto que los reconvinientes no son los titulares del derecho que pretenden, pues las fincas vendidas eran propiedad de aquella mercantil y en su nombre fueron vendidas a otra sociedad que efectivamente las adquirió mediante precio según consta en la correspondiente escritura de compraventa. Los demandantes de reconvención son únicamente partícipes sociales de la mercantil. La circunstancia de que la sociedad pueda estar disuelta por inactividad, no excluye la obligación de ser liquidada en forma con arreglo a los preceptos legalmente establecidos. El mero hecho del cierre o la inactividad o baja empresarial, aun comunicada a la Administración pública, no es disolución ni extinción de las sociedades, entidades con personalidad jurídica y capacidad propia e independiente de la de sus socios y administradores. El artículo 104 de la LSRL establece que: "1. La sociedad de responsabilidad limitada se disolverá: ... d) Por falta de ejercicio de la actividad o actividades que constituyan el objeto social durante tres años consecutivos. e) Por consecuencia de pérdidas que dejen reducido el patrimonio neto a una cantidad inferior a la mitad del capital social, a no ser que este se aumente o se reduzca en la medida suficiente, y siempre que no sea procedente solicitar la declaración de concurso conforme a lo dispuesto en la Ley 22/2003, de 9 de julio, Concursal. f) Por reducción del capital social por debajo del mínimo legal. Cuando la reducción sea consecuencia del cumplimiento de una ley se estará a lo dispuesto en el art. 108. g). Por cualquier otra causa establecida en los estatutos".

El artículo 105 que "1. En los casos previstos en los párrafos c) a g) del apartado 1 del artículo anterior, la disolución, o la solicitud de concurso, requerirá acuerdo de la Junta General adoptado por la mayoría a que se refiere el apartado 1 del art. 53. Los administradores deberán convocar la Junta General en el plazo de dos meses para que adopte el acuerdo de disolución o inste el concurso. Cualquier socio podrá solicitar de los administradores la convocatoria si, a su juicio, concurriera alguna de dichas causas de disolución, o concurriera la insolvencia de la sociedad, en los términos a que se refiere el art. 2 de la Ley Concursal. 2. La Junta General podrá adoptar el acuerdo de disolución o aquel o aquellos que sean necesarios para la remoción de la causa. 3. Si la Junta no fuera convocada, no se celebrara, o no adoptara alguno de los acuerdos previstos en el apartado anterior, cualquier interesado podrá instar la disolución de la sociedad ante el Juez de Primera Instancia del domicilio social. La solicitud de disolución judicial deberá dirigirse contra la sociedad...".

El artículo 109 que "1. La disolución de la sociedad abre el período de liquidación. 2. La sociedad disuelta conservará su personalidad jurídica mientras la liquidación se realiza. Durante ese tiempo deberá añadir a su denominación la expresión "en liquidación". 3. Durante el período de liquidación continuarán aplicándose a la sociedad las normas previstas en esta ley que no sean incompatibles con las establecidas en esta sección".

El artículo 115 que "1. En el plazo de tres meses a contar desde la apertura de la liquidación, los liquidadores formularán un inventario y un balance de la sociedad con referencia al día en que se hubiera disuelto...".

El artículo 116 que "Corresponde a los liquidadores de la sociedad: a) Velar por la integridad del patrimonio social y llevar la contabilidad de la sociedad. b) Concluir las operaciones pendientes y realizar las nuevas que sean necesarias para la liquidación de la sociedad. c) Percibir los créditos y pagar las deudas sociales. d) Enajenar los bienes sociales. e) Comparecer en juicio y concertar transacciones y arbitrajes, cuando así convenga al interés social. f) Satisfacer a los socios la cuota resultante de la liquidación".

El artículo 118 que "1. Concluidas las operaciones de liquidación, los liquidadores someterán a la aprobación de la Junta General un balance final, un informe completo sobre dichas operaciones y un proyecto de división entre los socios del activo resultante".

El artículo 120 que "Los liquidadores no podrán satisfacer la cuota de liquidación sin la previa satisfacción a los acreedores del importe de sus créditos o sin consignarlo en una entidad de crédito del término municipal en que radique el domicilio social".

Finalmente el artículo 121 que "Los liquidadores otorgarán escritura pública de extinción de la sociedad que contendrá: a) La manifestación de los liquidadores de que ha transcurrido el plazo para la impugnación del acuerdo a que se refiere el apartado 2 art. 118 sin que se hayan formulado impugnaciones, o que ha alcanzado firmeza la sentencia que las hubiera resuelto. b) La manifestación de los liquidadores de que se ha procedido al pago de los acreedores o a la consignación de sus créditos. En caso de cesión global del activo y del pasivo, la manifestación de inexistencia de oposición por parte de los acreedores o la identidad de quienes se hubieren opuesto, el importe de sus créditos y las garantías que al efecto hubiese prestado el cesionario. c) La manifestación de los liquidadores de que se ha satisfecho a los socios la cuota resultante de la liquidación o consignado su importe. A la escritura pública se incorporarán el balance final de liquidación y la relación de los socios, en la que conste su identidad y el valor de la cuota de liquidación que les hubiere correspondido a cada uno".

De todo ello se infiere con claridad que mientras no se proceda a la disolución y liquidación en forma de la sociedad mercantil Puerto Cristal, S.L., esta mantiene su personalidad en el tráfico jurídico y, en consecuencia, es la titular del derecho que los reconvinientes abocan para sí. En realidad, lo que pretenden estos demandantes es cobrarse directamente la cuota de liquidación derivada de sus participaciones sociales en la citada mercantil saltándose su liquidación, y ciertamente dicha sociedad podrá estar inactiva, pero desconocemos si existen acreedores sociales, cuyo pago es requisito previo e imprescindible para el reparto de cuotas de liquidación en proporción a las participaciones sociales, por lo que los reconvinientes carecen de legitimación activa o, más bien, de acción para reclamar directamente dicha cuota. Es la sociedad, que ha sufrido la lesión directa en su patrimonio y no los socios, la que deberá ejercitar las acciones principales o, en su caso, subsidiarias que considere oportunas, una vez fallecida la que fue administradora, para reintegrar al patrimonio social el capital obtenido con la venta de los inmuebles. Debiendo los socios-partícipes desplegar la actividad necesaria para ello.

Recurso de apelación

Caso 124

Resumen: Falta de legitimación del interviniente provocado, arquitecto superior, para recurrir en apelación.

Sentencia: AP Barcelona, Sec. 1.ª, 225/2018, de 23 de abril. Recurso 877/2016 (SP/SENT/953415).

Argumentación jurídica: La sentencia de instancia acoge la demanda formulada por la Comunidad de Propietarios actora frente a la demandada Construcciones Facoma 200, S.L. entendiendo que existen vicios constructivos que por su naturaleza y alcance deben ser reparados/indemnizados. Respecto a la responsabilidad de los agentes que intervienen en el proceso de edificación, estando comparecido en virtud del artículo 14 de la Ley Procesal únicamente el Arquitecto Superior, don Hugo, señala la resolución de instancia que ha transcurrido respecto del mismo el plazo de caducidad de tres años del artículo 17 de la Ley Procesal para poder reclamar contra él, añadiendo "ello sin perjuicio de haberse evidenciado durante la práctica de la prueba que los defectos provienen de la incorrecta ejecución de la obra que no afectan a la estructura, a la habitabilidad ni a la seguridad del edificio". Y en el pronunciamiento de costas, dado que su presencia en el procedimiento obedeció a la expresa petición de intervención provocada por la sociedad demandada, sin que la actora dedujera pretensión alguna en su contra, impone a Construcciones Facoma 2000, S.L. soportar las costas causadas por la meritada intervención.

Frente a la indicada sentencia interpuso recurso de apelación parcial el Sr. Hugo únicamente en relación a la restitución de las baldosas de gres de la zona comunitaria, solicitando que en la valoración de dicha partida se atendiera a la efectuada por el perito designado por él, Sr. Gregorio. Opuesta la parte actora a la admisión de dicho recurso, al entender que el interviniente no está legitimado para recurrir, por providencia de 18 de mayo se acordó no admitir a trámite el recurso, toda vez que "en la Sentencia dictada en el procedimiento, ... no consta el mismo como demandado, por lo que no ha sido absuelto, ni condenado". Y formulado recurso de reposición contra la indicada providencia, se dejó sin efecto la misma, admitiendo a trámite el recurso formulado por el Sr. Hugo.

El recurso interpuesto por el Sr. Hugo ha de ser desestimado, sin necesidad de entrar a conocer sobre el fondo.

El artículo 448.1 LEC señala "Contra las resoluciones de los Tribunales y Secretarios Judiciales que les afecten desfavorablemente, las partes podrán interponer los recursos previstos en la Ley". Este precepto recoge como presupuesto de todo recurso la existencia del gravamen, exigencia que ya venía siendo contemplada por doctrina y jurisprudencia y que la anterior LEC 1881 recogía expresamente en su artículo 1691, al regular el recurso de casación.

La doctrina jurisprudencial desarrollada por el Tribunal Supremo en la interpretación y aplicación de este precepto es numerosa. Así, ya la STS de 9.3.2007 (dictada aún en aplicación de la anterior LEC 1881, pero cuya doctrina es trasladable al actual 448 LEC 1/2000), declaraba: "La legitimación se encuentra regulada en el artículo 1.691 de la Ley de Enjuiciamiento Civil. Exige dos requisitos: (1) Ser parte en el proceso. (2) Existencia de un interés jurídico: gravamen o perjuicio, material o jurídico. El que recurre ha de resultar afectado o perjudicado en algún modo por la sentencia que trata de recurrir (Sentencias del Tribunal Supremo de 2 de Enero y 25 de Febrero de 1992, 5 de Marzo y 20 de Mayo de 1991, y 14 de Julio de 1992). Partiendo del supuesto de que la legitimación para interponer cualquier recurso y, por tanto, el de casación, viene atribuida exclusivamente a la parte contra la cual la sentencia recurrida haya hecho algún pronunciamiento que le afecte o perjudique, pues en caso contrario, al faltar el interés jurídico al recurrir, carece de justificación su pretendido recurso (Sentencias de 7 de Julio de 1983, 14 de Octubre de 1984, 27 de Septiembre de 1985, 19 de Mayo de 1989, 23 de Marzo de 1990, 20 de Marzo de 1991, entre otras), al no estar afectada la parte recurrente por los pronunciamientos de la sentencia recurrida". En el mismo sentido, y ya aplicando el art. 448.1, procede traer a colación las SSTS de 16.10.2008 y 27.3.2012 que afirman que "El recurso de casación exige un interés para recurrir –gravamen–, el cual puede ser económico, o estrictamente jurídico, pero en todo caso ha de suponer que se pretende eliminar un posible perjuicio u obtener un beneficio propio, que no tiene quien ha sido absuelto en la sentencia. El presupuesto se recoge con carácter general para todos los recursos en el artículo 448.1 LEC que dispone que "contra las resoluciones judiciales que les afecten desfavorablemente, las partes podrán interponer los recursos previstos en la ley". En el mismo sentido la STS 20/03/2012, que desarrolla en mayor medida este requisito o presupuesto. En definitiva, como concluye la STS 8.10.2010, "La falta de una afectación desfavorable –gravamen– se traduce en la falta de legitimación para recurrir (art. 448.1 LEC)".

La sentencia de instancia no contiene en su fallo pronunciamiento alguno respecto del Sr. Hugo, estableciendo en sus razonamientos que la acción contra él se encontraría prescrita, al margen de que los defectos existentes no provienen de actuaciones imputables al Arquitecto Superior, estableciendo únicamente en cuanto a las costas que procede su imposición a la demandada, tanto en lo que se refiere a la parte actora, como del tercero interviniente llamado al proceso a su instancia.

Por tanto, y sin desconocer la doctrina jurisprudencial a que alude el auto de instancia de fecha 5 de julio de 2016 y el escrito del Sr. Hugo de 30 de mayo de 2016, no concurriendo el presupuesto del gravamen que exige el artículo 448, el apelante carece de legitimación para apelar y su recurso ha de ser desestimado.

Recurso de casación

Caso 125

Resumen: Es jurisprudencia reiterada la que permite apreciar de oficio la falta de legitimación activa, incluso en casación.

Sentencia: TS, Sala Primera, de lo Civil, Pleno, 408/2016, de 15 de junio. Recurso 1894/2014 (SP/SENT/859124).

Argumentación jurídica: La Sentencia de esta Sala 824/2011, de 15 de noviembre (Rec. 923/2008), reiteró, con cita de las precedentes Sentencias 1275/2006, de 13 de diciembre (Rec. 275/2005) y 681/2004, de 7 de julio (Rec. 394/2001), que:

«[E]s jurisprudencia reiterada la que permite apreciar de oficio la falta de legitimación activa incluso en casación (Sentencias de 4 de julio de 2001, 31 de diciembre de 2001, 15 de octubre de 2002, 10 de octubre de 2002 y 20 de octubre de 2002). Y la sentencia de 15 de octubre de 2002 declara con una extensa relación de resoluciones de esta Sala que establecen la diferencia entre la legitimación "ad processum" y la legitimación "ad causam" para expresar que la falta de esta última para promover un proceso, en cuanto afecta al orden público procesal, debe ser examinada de oficio, aunque no haya sido planteada en el período expositivo, ya que los efectos de las normas jurídicas no pueden quedar a voluntad de los particulares de modo que llegaran a ser aplicadas no dándose los supuestos queridos y previstos por el legislador para ello».

Conforme a esa doctrina, que se reitera en las Sentencias 195/2014, de 2 de abril (Rec. 269/2012) y 401/2015, de 14 de julio (Rec. 1618/2013), no cabe duda de que puede y debe examinarse de oficio la cuestión de si las personas jurídicas de Derecho público –aquí el Ayuntamiento de Sobrescobio– son o no titulares del derecho fundamental al honor.

No se opone a lo anterior que esta Sala, entre otras en las Sentencias 198/2015, de 17 de abril (Rec. 611/2013) y 696/2015, de 4 de diciembre (Rec. 696/2015), haya diferenciado la perspectiva procesal de la legitimación activa *ad causam* –«la afirmación de la titularidad de un derecho o situación jurídica coherente con el resultado jurídico buscado en la pretensión que se formula en la demanda»–, y su dimensión sustantiva o de fondo: «la realidad y existencia del derecho o situación jurídica afirmada», al efecto de dilucidar si la denuncia ante ella de la falta de dicho presupuesto deba hacerse mediante recurso por infracción procesal o mediante recurso de casación; adoptando en cualquier caso soluciones flexibles «a efectos de prestar la mayor tutela judicial ante una cuestión que no ha quedado resulta definitivamente en vía legislativa» [SSTS 739/2013, de 21 de noviembre (Rec. 1951/2011) y la ya citada 401/2015, de 14 de julio].

En fin, el anunciado examen de oficio se impone aún con mayor fuerza en atención a las relevantes especialidades procesales que, en obediencia a lo dispuesto en el artículo 53.2 CE, establecen los artículos 249.1.2 .º y 477.2.1.º LEC para la tutela judicial civil de derechos fundamentales como el derecho al honor; del que el Ayuntamiento de Sobrescobio, ahora recurrente, asumió ser titular en la demanda rectora del proceso, al pedir que se declarase vulnerado por las imputaciones vertidas por Don Jose Daniel en su escrito de 25 de abril de 2011. Y nótese que solo en cuanto formulado por la vía del número 1.º del artículo 477.2 LEC pudo considerarse prima facie admisible el recurso de casación interpuesto por el referido Ayuntamiento.

Recurso extraordinario por infracción procesal

Caso 126

Resumen: La falta de legitimación del demandante no tiene cabida dentro del recurso de casación, debiendo examinarse dentro del recurso extraordinario por infracción procesal.

Sentencia: TS, Sala Primera, de lo Civil, 260/2012, de 30 de abril. Recurso 700/2009 (SP/SENT/672423).

Argumentación jurídica: El artículo 10 de la Ley de Enjuiciamiento Civil, bajo el epígrafe de "condición de parte procesal legítima" establece, en su párrafo primero, que «serán considerados partes legítimas quienes comparezcan y actúen en juicio como titulares de la relación jurídica u objeto litigioso». En relación con dicha norma –aunque no haya sido citada expresamente– tanto el Juzgado como la Audiencia han negado la legitimación del demandante por falta de vinculación con la relación jurídica litigiosa y, en definitiva, de interés para sostener la pretensión, lo que ha llevado en realidad a no decidir sobre el fondo del litigio.

Se trata de una cuestión de índole procesal que así ha sido abordada en la instancia. La legitimación, considerada de este modo, constituye un presupuesto procesal susceptible de examen previo al del conocimiento del fondo del asunto en tanto que, incluso siendo acogible la pretensión –si se abstrae de la consideración del sujeto actuante– la misma no ha de ser estimada cuando quien la formula no puede ser considerado como "parte legítima". En todo caso, la existencia o inexistencia de la legitimación viene determinada por una norma procesal (artículo 10 de la Ley de Enjuiciamiento Civil), ha de ser considerada de oficio por el órgano jurisdiccional y su reconocimiento no lleva consigo la atribución de derechos subjetivos u obligaciones materiales, sino que, como enseña la más autorizada doctrina, coloca o no al sujeto en la posición habilitante para impetrar la aplicación de la ley a un caso concreto mediante el correspondiente pronunciamiento jurisdiccional.

De ahí que, como cuestión procesal, su planteamiento ante esta Sala no puede efectuarse por la vía del recurso de casación, cuyo ámbito se refiere a la infracción de "normas aplicables para resolver las cuestiones objeto del proceso" sino que ha de hacerse valer a través del recurso extraordinario por infracción procesal y, concretamente, por la vía del artículo 469.1, motivo 4.º, ya que la falta de respuesta judicial de fondo por no ser reconocida la legitimación del demandante supondría –en caso de ser injustificada– una falta de tutela judicial efectiva como derecho de índole constitucional comprendido en el artículo 24 de la Constitución Española.

Esta Sala se ha referido a ello afirmando que «las cuestiones relativas a la legitimación, tanto se refieran a la legitimación ordinaria como extraordinaria, caen dentro del ámbito propio del recurso extraordinario por infracción procesal, en cuanto que la legitimación constituye un presupuesto, vinculado al fondo del asunto, pero de tratamiento preliminar que exige un pronunciamiento previo al que corresponde a este, por lo que para su denuncia ha de utilizarse el cauce del recurso extraordinario por infracción procesal» (auto 22 noviembre 2005); que «denunciada la infracción de las normas relativas a legitimación, art. 10 de la LEC, resulta que tal cuestión tiene naturaleza claramente adjetiva que excede del ámbito del recurso de casación y para cuya denuncia ha de acudirse al recurso extraordinario por infracción procesal» (auto 22 julio 2008); e igualmente que «es preciso significar que el recurso de casación está limitado a una estricta función revisora de la aplicación de las normas sustantivas al objeto del proceso (...) correspondiéndole al recurso extraordinario por infracción procesal controlar las "cuestiones procesales, entendidas en sentido amplio, es decir, no reducido a las que enumera el art. 416 de la LEC 2000 bajo dicha denominación sino comprensivo también de las normas referidas a la legitimación, en cuanto constituye un presupuesto vinculado al fondo del asunto, pero de tratamiento preliminar"» (auto de 25 noviembre 2008).

CUARTO. Sentado lo anterior, el recurso de casación formulado por el demandante don Sergio no puede prosperar

Registro de la Propiedad y resoluciones de la DGRN

Para impugnar una resolución de la DGRN

Caso 127

Resumen: Una asociación profesional de registradores de la propiedad y mercantiles de España carece de legitimación para impugnar judicialmente la resolución de la DGRN que estimó la impugnación de una calificación registral negativa.

Sentencia: TS, Sala Primera, de lo Civil, 341/2019, de 13 de junio. Recurso 431/2017 (SP/SENT/1007785).

Argumentación jurídica: Lo anterior muestra cómo la ratio de la norma (art. 328.IV LH) es restringir la legitimación para impugnar las resoluciones de la DGRN a los directamente interesados ("ordinariamente, los titulares de derechos que pretendían acceder al registro") y entender que estos pueden serlo también el notario autorizante del título y el registrador que califica solo "cuando la misma –la resolución– afecte a un derecho o interés del que sean titulares".

La expresa exclusión del Colegio de Registradores, el Consejo General de Notariado y los colegios notariales, remarca que los intereses que estas entidades o corporaciones representan no justifican la legitimación para impugnar. Y la restricción de la legitimación del notario y el registrador a los casos en que se vieran afectados un derecho o interés propios (en el sentido que lo hemos entendido en anteriores sentencias ya citadas) pone en evidencia que la Asociación de Registradores carece de legitimación para impugnar las resoluciones de la DGRN. Los intereses que representa, en cuanto colectivos de sus asociados, no justifican la legitimación para impugnar. Tan solo cuando actuara en representación de un concreto interés particular de un asociado, que según la jurisprudencia pudiera entenderse directamente afectado por la resolución de la DGRN, podría reconocérsele legitimación para impugnar. En realidad, en estos casos esa legitimación es la misma que podría reconocerse directamente al registrador que calificó y que encomienda a la asociación que impugne por él.

4. Lo anterior no contraría la previsión contenida en el art. 7.3 LOPJ, invocada en el recurso, sino que se acomoda a ella. Este precepto prevé que, para la defensa de los intereses colectivos, "se reconocerá la legitimación de las corporaciones, asociaciones y grupos que resulten afectados o que estén legalmente habilitados para su defensa y promoción". Este precepto se complementa con los regímenes legales general y especiales de legitimación

para accionar o impugnar. Con carácter general, el art. 10 LEC atribuye al titular de una relación jurídica u objeto litigioso la legitimación procesal, sin perjuicio de que la ley pueda atribuirla a otra persona distinta del titular.

En nuestro caso, es el art. 328 LH el que atribuye y restringe la legitimación para impugnar las resoluciones de la DGRN en atención a los intereses afectados por la resolución objeto de impugnación. Restringe la legitimación a los titulares de los derechos directamente afectados por la resolución, en los términos antes expuestos, y excluye de esta tutela a los intereses colectivos que pudieran verse afectados por la resolución. Desde el momento en que la ley no atribuye a la tutela de estos intereses colectivos la legitimación activa para impugnar las resoluciones de la DGRN, no se infringe el art. 7.3 LOPJ por el hecho de negarle legitimación activa a la Asociación de Registradores.

5. En este caso, desestimar la demanda por falta de legitimación de la Asociación de Registradores para impugnar una resolución de la DGRN no supone, como denuncia el recurso, una vulneración del derecho a la tutela judicial efectiva del art. 24 CE, en su vertiente de denegación de acceso a la jurisdicción, en atención a la jurisprudencia del Tribunal Constitucional. Esta doctrina viene recogida en la STC 222/2016, de 19 de diciembre:

"constituye doctrina consolidada de este Tribunal que la denegación de una decisión sobre el fondo del asunto tiene relevancia y dimensión constitucional cuando tal inadmisión suponga una interpretación de la legalidad procesal manifiestamente irrazonable, arbitraria o fruto de un error patente, o también, adicionalmente, caso de que lo anterior no fuera apreciado por ser respetuosa con el derecho fundamental la respuesta judicial desde ese plano, cuando las reglas de acceso a la jurisdicción se hayan interpretado de manera rigorista o excesivamente formalista, o de cualquier otro modo que revele una clara desproporción entre los fines que estas reglas preservan y los intereses que sacrifican (por ejemplo, STC 240/2005, de 10 de octubre, FJ 5, entre otras muchas)".

La interpretación del art. 328 LH por la que se deniega legitimación activa a la Asociación de Registradores para impugnar una resolución de la DGRN no es manifiestamente irrazonable, sino que responde a la ratio del precepto, como hemos expuesto en los apartados anteriores. Y tampoco puede considerarse rigorista o excesivamente formalista, sino que se acomoda a la finalidad perseguida por la norma de que, "siendo la DGRN el órgano superior jerárquico común del cual dependen en el ejercicio de su función tanto los notarios como los registradores, no se emplee la impugnación judicial de las resoluciones de la DGRN como cauce para dirimir conflictos institucionales entre los cuerpos notarial y registral" (sentencia 644/2018, de 20 de noviembre).

Responsabilidad automóvil

Por no constar ni la titularidad ni la posesión del vehículo en la fecha del siniestro a favor de la demandante

Caso 128

Resumen: Se mantiene la falta de legitimación activa de la demandante de los daños por el siniestro, tal como indicó la sentencia recurrida, al no existir prueba de la titularidad del bien por parte de la misma.

Sentencia: AP Sevilla, Sec. 6.ª, 78/2016, de 17 de marzo. Recurso 4792/2015 (SP/SENT/862406).

Argumentación jurídica: En cuanto a la titularidad, la actora manifiesta que el 7 de agosto adquirió por compra a su anterior titular el vehículo, que el accidente tuvo lugar el día 17 y que no fue hasta noviembre que se expidió el permiso de circulación a su nombre. Como bien razona la sentencia recurrida, la actora no aporta contrato de compraventa, tampoco expresa el precio pactado ni acredita su pago, tampoco consta declaración alguna del vendedor, el anterior titular, puesto que, propuesto como testigo, no compareció al acto de juicio ni se pidió su prueba en esta alzada; es más, la única manifestación que del mismo se tiene es el contacto telefónico que narra el atestado de la policía, entre esta y dicho titular, y en tal conversación precisamente niega ser el titular del vehículo en la fecha del accidente pero expresando que hacía dos semanas se lo había vendido a una tal Mercedes, que en nada coincide con la actora. Tampoco se da explicación alguna respecto de la identidad de quienes se identificaron como conductor y ocupante en la fecha del siniestro, manifestando uno de ellos que tenía en su poder el vehículo porque le habían encargado la venta, declaración esta que entra en contradicción con la afirmación de la actora de que lo había adquirido diez días antes del siniestro ... efectivamente la póliza del seguro se encontraba en vigor, y quien aparece como tomadora del mismo y conductora autorizada y habitual es quien parece ser la madre del titular registral del vehículo, aquel a quien la actora afirma haberle comprado el vehículo. La prueba, documental, principal en la que se basa la parte demandante para afirmar su titularidad es un documento acompañado a la demanda, fechado en efecto el 7 de agosto, diez días antes del siniestro, que se denomina "Autorización Provisional de Circulación de Vehículo, cuyo documento, expedido respecto del vehículo de autos y a favor de la actora, aparece otorgado, según se hace figurar en el mismo, "al amparo de lo dispuesto en el Convenio de Colaboración de Gestión Administrativa Telemática DGT Consejo General de Gestores Administrativos, de 27 de septiembre de 2007...", pero tal documento en el supuesto de autos carece de validez y eficacia alguna, porque, como expresamente reconoció en interrogatorio como testigo en el acto del juicio oral el titular de la Gestoría, el expediente no se concluyó y se cerró porque faltaba documentación que no se aportó, al menos una provisión de fondos de 1.500 euros para hacer frente a los impuestos de la transmisión, por lo que no le dio cauce ni menos se llegó a presentar en la Jefatura de Tráfico; si finalmente el vehículo se registró a nombre de la actora en fecha muy posterior a la del siniestro sería, como también afirmó el testigo, porque la transmisión se hubiera operado posteriormente de forma directa en ventanilla de la Jefatura. De modo que, como al principio se indicaba, no consta ni la titularidad ni la posesión del vehículo en la fecha del siniestro a favor de la demandante, lo que determina la desestimación del recurso y la confirmación de la sentencia.

Retracto

I. Por no concederse en el retracto de comuneros a la propia comunidad

Caso 129

Resumen: El retracto es un derecho concedido al comunero o comuneros, en caso de enajenación de la parte de otro u otros, pero no a la comunidad.

Sentencia: AP Sevilla, Sec. 5.ª, 381/2008, de 15 de julio (SP/SENT/438365).

Argumentación jurídica: Demanda promovida por Don Franco, contra Compraventa de Bienes, S.A., dio lugar a la acción de retracto de comuneros que el primero, como propietario de una sexta parte indivisa de las cuatro fincas rústicas a que el pleito se refiere, ejercitó respecto de otra sexta parte indivisa de las mismas, que fue de la propiedad de su hermano Juan Alberto y que, en virtud de subasta celebrada en procedimiento de apremio seguido contra este en el Juzgado de Primera Instancia número 12 de esta ciudad, fue adjudicada a la sociedad demandada, al estimar la juzgadora "a quo", en dicha sentencia, que concurren en este caso todos y cada uno de los requisitos a los que el artículo 1.522 del Código Civil supedita el ejercicio de dicha acción. SEGUNDO. Frente a dicha resolución, que este tribunal comparte por completo y cuyos razonamientos, para no incidir en inútiles reiteraciones, deben darse aquí por reproducidos, insiste la sociedad demandada, en su escrito de interposición del recurso de apelación, en sus alegaciones de la primera instancia relativas a la falta de legitimación del demandante Don Franco, quien, a su juicio, debería haber actuado en beneficio de la comunidad de propietarios de las fincas en cuestión, y no como lo ha hecho, en beneficio propio. TERCERO. Tales alegaciones no pueden ser compartidas por el tribunal, sino, todo lo contrario, abiertamente rechazadas, puesto que el retracto, por esencia, es un derecho concedido al comunero o comuneros, en caso de enajenación de la parte de otro u otros, pero no a la comunidad, pues, precisamente, su finalidad es la de evitar los inconvenientes de la indivisión, conforme al principio "conmunio est mater discordiarum". Así resulta claramente del precepto antes citado, al señalar que "el copropietario de una cosa común podrá usar del retracto en el caso de enajenarse a un extraño la parte de todos los demás condueños o de alguno de ellos" y que "cuando dos o más propietarios quieran hacer uso del retracto solo podrán hacerlo a prorrata de la porción que tengan en la cosa común". Tampoco es preciso que los comuneros actúen conjuntamente, como claramente resulta de este último párrafo...".

II. Por ser usufructuario

Caso 130

Resumen: El usufructuario solo puede acceder a la propiedad mediante las formas previstas en las propias normas que lo regulan pero no a través del retracto.

Sentencia: AP Barcelona, Sec. 14.ª, de 5 de febrero de 2001. Recurso 1087/1999 (SP/SENT/462248).

Argumentación jurídica: Aun partiendo de la hipótesis, no probada en autos, de que el actor ostenta, aun actualmente, el derecho de usufructo, como se examinará más adelante, no puede prosperar la acción de retracto instada por el mismo, pues constituyendo el retracto un derecho de adquisición preferente de cosa vendida (Arts. 1.521 y ss. del Código Civil y sus concordantes de la Ley de Enjuiciamiento Civil, arts. 1.618 y ss.), es suficiente acudir a la naturaleza jurídica de esta figura y su función social en el sentido de que constituye un límite al derecho de dominio o de propiedad del propietario actual o adquirente de buena fe, (en el supuesto de autos los demandados son subadquirentes de la finca, doc. N.º 1 de la contestación a la demanda al folio 29) pues inclusive afecta a dichos terceros de buena fe (Art. 37.3.º de la Ley Hipotecaria), para afirmar que este mecanismo de acceso a la propiedad por un tercero ajeno a la compraventa ha de quedar limitado a determinadas personas, que son las que puedan gozar del derecho que se contempla en las normas que lo regulan, con carácter cerrado, no siendo posible extenderlo a cualquier situación.

TERCERO. Esta enajenación forzosa a favor de determinados sujetos viene contemplada en las propias normas, que aunque no lo establece en forma expresa, sí es de afirmar que se deduce del propio contexto normativo, que regula solo cuatro clases de retractos, el retracto de comuneros, de colindantes, el retracto arrendaticio y gentilicio (ex. Arts. 1.522 y ss. del Código Civil así como la Ley de Arrendamientos Rústicos y Urbanos y su concordante de la LEC, art. 1618) de ello se infiere que en ningún supuesto contempla el ejercicio de este derecho a quien no ostente un título de dominio o la cualidad de propietario (comunero y colindante) o en su caso la calidad de arrendatario (LAR y LAU), por lo que es de afirmar que solo se hallan legitimadas activamente las personas que anteriormente se han indicado. Pero es que, en especial, el derecho de usufructo es un derecho real sobre cosa ajena que no confiere un título dominical que pertenece a otro; (Arts. 467 y ss. del Código Civil), de manera que no cabe duda la falta de legitimación de un usufructuario de un bien inmueble para adquirir con preferencia la finca; inclusive, aun partiendo de la hipótesis, (que no es el supuesto de autos) de que los propios nudos propietarios transmitieran la finca a tercero, el usufructuario e incluso simple poseedor (ocupante) del inmueble no podría ejercer el derecho de retracto, al amparar la Ley un derecho de goce que no puede limitar la libre disposición de la cosa para el nudo propietario, de manera que el usufructuario solo puede acceder a la propiedad mediante las formas previstas en las propias normas que lo regulan, pero en especial por la propia voluntad de las partes, no siendo, por tanto, como sostiene la parte un derecho "objetivamente" preferente otorgado a cualquier persona que ostente un título, sino limitado a los términos estrictamente "tasados" que se regulan en el Código Civil.

Seguros

I. Seguro de hogar

Caso 131

Resumen: Falta de legitimación activa para reclamar la cobertura por incendio de la vivienda asegurada de la que había sido propietario pues al transmitir el objeto es el comprador el que pasa a ser el asegurado.

Sentencia: AP Valencia, Sec. 11.ª, 447/2022, de 26 de octubre. Recurso 721/2021 (SP/SENT/1167795).

Argumentación jurídica: Con relación a la apelación, insiste el demandante recurrente en disponer de la adecuada legitimación para plantear la demanda por seguir siendo asegurado al no haberse producido a la fecha del incendio la entrega de la plena posesión ni de la propiedad del inmueble siniestrado cuya contingencia cubría el seguro concertado entre las partes, aduciendo para ello error en la valoración de la prueba al haber sido la intención de los contratantes de la compraventa el no transmitir el dominio de la vivienda hasta 15 días después de la firma de la escritura.

Al efecto, disponiendo el artículo 34 LCS que en caso de transmisión del objeto asegurado el adquirente se subroga en el momento de la enajenación en los derechos y obligaciones establecidos en el contrato de seguro al anterior titular, corresponde estar a lo que se razona en la sentencia de instancia sobre la fecha en que se produce la transmisión del dominio del inmueble con la firma de la escritura de compraventa en fecha anterior al siniestro acorde con lo previsto en el artículo 1.462 2 CC, pues precisándose para la transmisión de la cosa vendida de título y modo (artículos 609 y 1.462-1 CC), equivale a la entrega de la cosa objeto del contrato la propia suscripción de la escritura, a salvo que de esta no resultare o se dedujera claramente lo contrario, lo que no es el caso, al no establecer salvedad alguna al respecto dicha escritura, ni acompañarse constancia escrita ni deducirse otra cosa de la testifical del vendedor, no obstante confirmar este la autorización del comprador para permanecer unos días más en la casa tras la venta, pero con una mejor contextualización de plazo de gracia para retirar enseres personales.

Por tanto, haciendo plenamente operativa la previsión del artículo 34 LCS, pasando a ser el asegurado en la póliza inicialmente suscrita por el vendedor el comprador a partir de que se le transmite la propiedad con ocasión de la firma del instrumento público y dejándolo ser correlativamente aquel. Incluso en lo que se refiere al contenido asegurado, ya que al margen de no haber realizado tal distinción el actor en su demanda, no cabe entender conforme a la taxatividad de aquel precepto la posibilidad de que se produzca la disociación pretendida, máxime, con relación a las cosas de su propiedad que podían constituir el contenido y que tenía intención de retirar que a su vez dejaban de ser aseguradas al no formar parte del contenido de aquel seguro, y respecto de las que permaneciesen por haberse pactado a su vez su transmisión con la vivienda al comprador de este (como indica igualmente en su testifical), también el asegurado sería el comprador y no el vendedor desde la transmisión de tales objetos.

Faltando, en consecuencia, desde una perspectiva estrictamente jurídica, la adecuada constitución de la relación jurídico procesal del demandante con lo que era objeto del proceso, al no poder reclamar como asegurado sino el que gozase de la cualidad como tal, a salvo otras posibilidades ajenas al objeto del debate como serían las del ejercicio de acciones por el que sí disponía de la cualidad de asegurado, o mediante figuras relacionadas, conforme al artículo 34 LCS a partir de la firma de la escritura mencionada, esto es, el nuevo dueño.

Por lo que se desestima la apelación y se confirma la sentencia en los apartados controvertidos.

II. Seguro de vehículo

Caso 132

Resumen: Falta de legitimación activa de la aseguradora para reclamar, por aportar un documento que justificaría únicamente un aseguramiento posterior y el del pago realizado al asegurado y pero no la póliza vigente.

Sentencia: AP Madrid, Sec. 11.ª, 51/2018, de 23 de febrero. Recurso 130/2017 (SP/SENT/954220).

Argumentación jurídica: En efecto, examinando la cuestión planteada, se comprueba, en primer lugar que el documento núm. 2 que se acompaña a la demanda, aunque la demandante afirma en su escrito de oposición a la impugnación que se trata de las Condiciones Particulares en las que constaría, en su Hoja 1, al dorso, que la póliza de seguro entró en vigor en fecha 18 de agosto de 2006, a las 13 horas, siendo el período de cobertura anual y renovable automática, lo cierto es que solo viene formado por una Hoja (la número 2), –y así al final de su reverso figura "este documento consta de 2 horas"–, donde consta el número de póliza y el nombre del tomador, y que aparece fechado el 24 de marzo de 2013, que no se corresponde a la fecha del siniestro (23 de febrero de 2011) sino posterior.

A diferencia de lo que entendió la juzgadora de instancia, esta Sala considera que la no acreditación de una póliza de seguro vigente el día de los hechos constituye una falta de prueba de la legitimación activa de la aseguradora demandante. La legitimación activa se la otorga a LÍNEA DIRECTA ASEGURADORA el artículo 43 de la Ley de Contrato de Seguro, conforme al cual la acción que se ejercita ha de corresponder al "asegurado", esto es, en virtud de una póliza de seguro vigente al tiempo del siniestro y que cubra el objeto del mismo.

No puede admitirse que la ausencia de aportación de una póliza de seguro vigente que cubriese el siniestro pueda ser suplida por el documento justificativo del pago realizado por la aseguradora a su asegurado (doc. 6 y 7 demanda), cuando la póliza de seguro se trata de un documento que necesariamente ha de estar en poder de la aseguradora y en él radica la prueba de su legitimación para demandar a quien considera causante del siniestro. Aunque se justifica el pago de la indemnización al asegurado, ninguna indicación contiene tal justificante de pago a efectos de determinar claramente la causa del pago identificando tanto la póliza como el siniestro; y en suma, lo cierto es que con dicho pago no se prueba que el día del siniestro el vehículo Mercedes estuviera cubierto por póliza de seguro contratada con la demandante LÍNEA DIRECTA ASEGURADORA.

Consideramos, además, relevante, a los efectos de la legitimación, conocer el contenido de la póliza, es decir, cuáles fueran las cláusulas pactadas entre aseguradora-asegurado en este caso en el que se acciona frente a un tercero, tratándose de un supuesto de siniestro total del vehículo, donde la aseguradora ha optado por indemnizar al asegurado no por el valor venal del vehículo, sino por el de reparación.

No se entiende, en definitiva, que con la demanda no se haya aportado la póliza vigente en la fecha del hecho, sino un documento que en todo caso justificaría un aseguramiento posterior; ni que, advertida esta circunstancia en la contestación a la demanda (alegando ambas codemandadas falta de legitimación activa), no se subsanase esa deficiencia aportando en la audiencia previa, como documento complementario al aportado con la demanda, la póliza de seguro vigente en la fecha del siniestro. No se trata, por tanto, de una circunstancia secundaria, sino esencial, suponiendo esa omisión la no acreditación de la legitimación activa de la aseguradora demandante.

Atendiendo a lo cual, ha de estimarse la impugnación y apreciarse esa falta de legitimación activa, lo que determina la desestimación de la demanda, aunque por fundamentos distintos a los de la sentencia de instancia, y conlleva a la vez la desestimación del recurso de apelación interpuesto por la parte actora.

Caso 133

Resumen: La falta de legitimación activa de la entidad aseguradora que reclama el reintegro de las cantidades abonadas al encontrarse en posición de cesionaria de la cartera de pólizas impide que prospere su petición.

Sentencia: AP Madrid, Sec. 25.ª, 478/2012, de 2 de octubre. Recurso 225/2012 (SP/SENT/694772).

Argumentación jurídica: Efectivamente, lo que aquellos elementos probatorios justifican es, en primer término, que la condición de aseguradora del reseñado vehículo matrícula.... DDV, la ostentaba –por cesión de la correspondiente cartera de pólizas del automóvil, autorizada por Orden EHA/3683/2009, de 17 de diciembre– la entidad «UNIVERSAL ASISTENCIA DE SEGUROS Y REASEGUROS, S.A.», que indudablemente es una persona jurídica distinta e independiente de la entidad demandante, y, por ende, con diferente personalidad jurídica.

Y, en segundo término, que dicha persona jurídica, «UNIVERSAL ASISTENCIA DE SEGUROS Y REASEGUROS, S.A.» –distinta y diferente de la actora– es la entidad que cambió su denominación social por la de «RACC SEGUROS, COMPAÑÍA DE SEGUROS Y REASEGUROS, S.A.», que es, por otra parte, la entidad que efectuó el pago de la suma objeto de reclamación en el proceso.

TERCERO. En la medida de todo ello, la falta de legitimación activa de la entidad demandante, «HDI INTERNACIONAL (ESPAÑA), SEGUROS Y REASEGUROS, S.A., SOCIEDAD UNIPERSONAL» para deducir la pretensión objeto del proceso resulta incontestable.

Dicha legitimación corresponde, en todo caso, a la entidad «RACC SEGUROS, COMPAÑÍA DE SEGUROS Y REASEGUROS, S.A.», anteriormente denominada «UNIVERSAL ASISTENCIA DE SEGUROS Y REASEGUROS, S.A.». Entidad distinta e independiente de la que formula la demanda y que no ha comparecido, en modo alguno en el proceso –ni bajo su antigua denominación social, ni bajo la nueva– ejercitando la pretensión objeto del mismo.

Caso 134

Resumen: Se aprecia la falta de legitimación activa del recurrente dado que en la factura de reparación se ha añadido el nombre del recurrente para hacer constar a la persona del asegurado a los efectos de la cobertura del seguro.

Sentencia: AP Salamanca, Sec. 1.ª, 399/2012, de 6 de julio. Recurso 806/2011 (SP/SENT/684182).

Argumentación jurídica: Con manifiesta temeridad se atreve el letrado recurrente a referirse a las facturas del taller para manifestar que el hecho de que las mismas se expidan a favor de don Ángel es un error toda vez que en las mismas figura el nombre de los dos. Hemos dicho que no hace falta ser perito calígrafo para comprobar cómo el nombre de don Sebastián se ha añadido posteriormente, con un tipo de tinta muy diferente y fuera del espacio destinado a poner el nombre del cliente.

Respecto de la orden de servicio de grúas La Paz, evidentemente puede ser comprensible el que figura el nombre de don Ángel, si dicho servicio iba a ser cubierto en principio por la aseguradora, pero ello contribuya a poner de relieve que el asegurado es don Ángel y no don Sebastián.

Pero el mayor abuso en la utilización indebida de un proceso judicial, llegando incluso al recurso de apelación, y por tanto contrario a lo establecido en el artículo 11 de la Ley Orgánica del Poder Judicial, se comete cuando el letrado recurrente se permite dar por buena en su recurso una práctica, que por mucho que llegue a ser frecuente, no deja de ser sino un manifiesto fraude hacia las aseguradoras, cual es el suscribir el seguro de automóvil a nombre de una persona con años de carnet de conducir y experiencia para que la prima del mismo sea más barata.

En consideración a todo lo expuesto, debe desestimarse el primer motivo del recurso de apelación, y estimándose la falta de legitimación activa del demandante, la demanda debe ser desestimada.

Caso 135

Resumen: Existe falta de legitimación activa al no haberse acreditado por la aseguradora el pago vía subrogación de la indemnización a su asegurada conforme al art. 43 LCS.

Sentencia: AP Badajoz, Sec. 2.ª, 278/2010, de 23 de septiembre. Recurso 361/2010 (SP/SENT/525532).

Argumentación jurídica: Tras el pormenorizado examen de las actuaciones y la valoración conjunta del resultado de las pruebas practicadas, a la luz de las contradictorias versiones que sostienen las partes, coincide la Sala con el prudente criterio adoptado por el Juzgador *a quo* al considerar que no ha quedado debidamente acreditado que AXA haya abonado a su asegurada la suma que ahora es objeto de reclamación por vía de subrogación, lo que constituye la falta de una *conditio sine qua non* para la prosperabilidad de su acción.

El artículo 217 de la Ley de Enjuiciamiento Civil determina de forma tan meridiana como contundente que corresponde a la parte actora la carga de probar los hechos en los que funde su pretensión, circunstancia que no se produce en el supuesto que nos ocupa con la simple aportación de los documentos acompañados a la demanda con los números 12, 13 y 14, que no pasan de tener un mero carácter unilateral, lo que, a falta de pruebas otras inequívocas, impide desvirtuar la falta de legitimación activa esgrimida por la parte demandada, que resulta un óbice infranqueable para entrar a conocer el fondo del asunto y, en consecuencia, poder estimar la pretensión reiterada en esta alzada.

Ninguno de los argumentos expuestos por la parte actora y apelante en su escrito de formalización del Recurso de Apelación permiten refutar las conclusiones a las que llega el Juzgador de instancia en la resolución impugnada, por más que, a efectos meramente dialécticos, pudiéramos estar ante "tipos documentos" que, en palabras de la recurrente, las aseguradoras se intercambian "cientos de ellos al día, por no decir miles ... sin que duden de su autenticidad", ya que, en definitiva y a título de ejemplo, la falta de un simple recibí por parte del asegurado o cualquier otra circunstancia de la que pudiera inferirse inequívocamente el pago, impide concluir sin racionales dudas y fisuras que AXA haya abonado previamente la indemnización de la que pretende resarcirse por vía de subrogación.

Por cuanto acaba de exponerse y dando por reproducida su fundamentación jurídica, procede la desestimación del Recurso de Apelación y, en consecuencia, la íntegra confirmación de la Sentencia apelada, por estar plenamente ajustada a Derecho.

Suspensión de obra nueva

Por no ser dueño de la nave

Caso 136

Resumen: El que la actora no sea dueña ni poseedora de la nave ni de la parcela que ocupa, colindante a la de los demandados hace que carezca de legitimación activa para solicitar la suspensión de una obra nueva

Sentencia: AP Las Palmas, Sec. 4.ª, 314/2016, de 29 de septiembre. Recurso 314/2016 (SP/SENT/886101).

Argumentación jurídica: CORPORACIÓN TATIFFAR, S.L. no ha acreditado ser dueña de la nave ni de la parcela que ocupa, colindante a la de los demandados –ni de la ampliación de la nave que pudiera estar invadiendo en parte la parcela de los demandados–, ni tampoco dueña de la parcela de la que puso en posesión a los demandados el Juzgado de Primera Instancia e instrucción n.º 1 de Telde, ni es su poseedora actual (en la misma demanda se manifiesta que la nave se encuentra arrendada a terceros, y los demandados fueron puestos en posesión de la parcela que ocupan –no de las edificaciones que pudieran invadirla en parte–) por lo que resulta indudable que carece de legitimación activa *ad causam* y que debe estimarse el recurso, dejando sin efecto la resolución recurrida

Tercería de dominio

I. Por no ser titulares de la finca a fecha de planteamiento de la misma

Caso 137

Resumen: Falta de legitimación de los actores para interponer la tercería de dominio al no ser titulares de la finca a fecha de formulación de la misma.

Sentencia: AP Barcelona, Sec. 14.ª, 264/2018, de 22 de mayo. Recurso 827/2016 (SP/SENT/960076).

Argumentación jurídica: Podrá interponer tercería de dominio, en forma de demanda, quien, sin ser parte en la ejecución, afirme ser dueño de un bien embargado como perteneciente al ejecutado y que no ha adquirido de este una vez trabado el embargo.

No siendo titulares de la finca a fecha de interposición de dicha tercería, no estaban los apelantes legitimados para interponerla, abstrayendo que el rechazo de plano de esa admisión, por carencia de un principio de prueba de la misma, solo pudo haberla decretado el juez titular del Juzgado, conforme a lo dispuesto en el art. 596.2 de idéntica Ley de Enjuiciamiento Civil.

En virtud de la certificación acompañada posteriormente, se acredita de forma fehaciente, esa deslegitimación de que adolecía la posición tercerista, y no al contrario, de tal manera que no tiene sentido aludir al principio de subsanación de los actos procesales cuando se han seguido todos los trámites hasta el final decidido conforme a la normativa legal procesal e hipotecaria que regulaban este procedimiento de tercería, abstrayendo que esa decisión final no agrade a los apelantes. Por lo mismo, tampoco se observa ninguna nulidad de actuaciones, sujeto el proceso civil al principio de rogación, art. 216 de la Ley de Enjuiciamiento Civil.

Por tanto, se desestima el motivo reiterado, al no observarse ninguna infracción de las normas y garantías procesales en la decisión apelada.

II. De uno de los miembros de la sociedad conyugal en caso de embargo de la vivienda ganancial

Caso 138

Resumen: Inexistencia de legitimación para entablar tercería de dominio por uno de los miembros de la sociedad conyugal en caso de embargo de la vivienda ganancial en tanto no se disuelva y liquide aquella.

Sentencia: TS, Sala Primera, de lo Civil, 585/2003, de 17 de junio. Recurso 3176/1997 (SP/SENT/47185).

Argumentación jurídica: "MUNAT" interpone contra esta resolución el presente recurso de casación, a través de tres motivos. En los dos primeros alega la infracción del artículo 359 de la Ley de Enjuiciamiento Civil, al amparo del ordinal 3.º del artículo 1692 de dicha norma, al haberse incurrido por la Audiencia Provincial en incongruencia, generándose indefensión para la entidad ahora recurrente. En el tercero, con fundamento en el apartado 4.º del último de los preceptos mencionados, denuncia la infracción del artículo 1.373 del Código Civil por cuanto la tercerista ni en el mes de Noviembre de 1988, cuando le fue notificado el embargo de la vivienda conyugal, ni al interponer su demanda y proceder a la ampliación objetiva de la misma, ha llegado a invocar el derecho de que el referido artículo le investía no solicitando la sustitución del objeto del embargo (que no obstante la Audiencia declara procedente) sino únicamente el alzamiento de este. Dada la estrecha relación existente entre los argumentos que se invocan en los tres motivos del recurso, se considera procedente llevar a cabo un estudio conjunto de los mismos, haciéndose imprescindible referirse al cuerpo de jurisprudencia pacífica y concorde formado por numerosas sentencias de esta Sala al que ya aludía la sentencia de 4 de Marzo de 1994 según el cual durante el matrimonio el consorcio conyugal no da nacimiento a una forma de copropiedad de las contempladas en el artículo 392 y siguientes del Código Civil, al faltar por completo el concepto de parte, característica de la comunidad de tipo romano que allí se recoge, por lo que en tanto la sociedad conyugal no se disuelva y liquide a ninguno de los cónyuges corresponde la propiedad de la mitad de los bienes gananciales, sino únicamente un derecho expectante que no le legitima para entablar la tercería de dominio, por no tener la cualidad de tercero, esencial para el ejercicio con éxito dicha clase de acción, lo cual no quiere decir que cuando uno de los cónyuges comete actos en contra de la ley o de los legítimos intereses de su consorte, carezca este último de otros procedimientos para resarcirse de las consecuencias originadas por dichos actos. Esta doctrina, con la excepción que supone la Sentencia de 17 de Julio de 1997 (recurso 2213/93) que en realidad obedecía al desconocimiento absoluto del cónyuge tercerista respecto a la existencia del embargo –lo que en el presente supuesto no sucede–, se mantiene en sentencias más recientes que recoge la de 8 de Febrero de 2001 y a las que igualmente sigue la de 31 de Mayo de 2002, en las que expresamente se menciona la facultad que otorga el artículo 1.373 del Código Civil al cónyuge no ejecutado, como remedio a situaciones de la naturaleza de la que ha dado lugar a la interposición de la demanda de la que el presente recurso trae causa. El recurso de casación que nos ocupa ha de ser, por tanto, acogido ya que, según ha alegado MUNAT, la Sra. Maite había tenido oportuno conocimiento del embargo de la vivienda familiar y no ejercitó ni entonces (en 1988) ni tampoco al acordarse la subasta de la misma, la facultad que le confería el precepto citado, limitándose a solicitar el alzamiento de la referida traba a través de su demanda de tercería de dominio. Pese a ello en la sentencia impugnada se concedió la sustitución prevista por aquel artículo, que no había sido expresamente interesada, con lo cual se privó a la ahora recurrente de establecer el necesario debate sobre el particular, generándose evidente indefensión.

III. Por haber sucedido en la ejecución en condición de heredero

Caso 139

Resumen: Al ser parte del procedimiento de ejecución por haber sucedido al inicial demandado y causahabiente, por su condición de heredero, el recurrente carece de legitimación activa para promover tercería de dominio.

Auto: AP Cáceres, Sec. 1.ª, 129/2017, de 4 de octubre. Recurso 586/2017 (SP/AUTRJ/928526).

Argumentación jurídica: En fecha 14 de febrero de 2017 se dictó Auto por el Juzgado de instancia desestimando la demanda de tercería de dominio, y disconforme la representación de la parte actora, se alza el recurso de apelación, alegando como único motivo, que no niega que sea requisito necesario para el éxito de la tercería, no ser parte del procedimiento. Sin embargo, el actor no puede ser parte del procedimiento de ejecución, por cuanto ese papel le corresponde en exclusiva a la herencia yacente, patrimonio que puede perfectamente ser parte activa o pasiva en un procedimiento...

... como bien se dice por la Juzgadora de instancia, Don Clemente carece de la condición de tercero, requisito esencial para ostentar la acción de tercería, toda vez que, como heredero de su padre, inicialmente parte ejecutada en el anterior procedimiento, es parte en el procedimiento por sucesión procesal, careciendo de legitimación activa, para su ejercicio.

Como establece el Art. 595.1 LEC, solamente tienen legitimación para interponer tercería de dominio, quienes no sean parte en la ejecución.

Como hemos dicho, Don Clemente, es parte del procedimiento de ejecución, porque en fecha 27 de abril de 2016 se dictó Diligencia de Ordenación acordando la sucesión de los herederos en el procedimiento de ejecución, conforme al artículo 16.3 de la LEC, y en la misma resolución se declara la rebeldía de don Clemente. Posteriormente, presentó recurso de reposición frente al Decreto de embargo.

En consecuencia, siendo parte del procedimiento de ejecución al haber sucedido al inicial demandado y causahabiente, por su condición de heredero, carece de legitimación activa, para promover tercería de dominio.

En definitiva, procede desestimar el recurso y confirmar la resolución recurrida.

Tutela sumaria de la posesión

Por no ser la demandante la persona que sufrió el despojo, sino su hija

Caso 140

Resumen: Falta de legitimación activa para ejercitar la acción de tutela sumaria de la posesión, ya que la persona que sufrió el acto de despojo no fue la actora, sino su hija.

Sentencia: AP Madrid, Sec. 14.ª, 296/2013, de 28 de junio (SP/SENT/728070).

Argumentación jurídica: Pues bien, en el presente caso, y como se evidencia en la propia argumentación del recurso, doña Alejandra ejercita la acción de tutela sumaria de la posesión argumentando ser propietaria de la vivienda número NÚM000, en su condición de heredera del adjudicatario. Pero, al mismo tiempo, quien consta como poseedora (despojada) de la vivienda número NÚM000, y quien fue sujeto pasivo del supuesto acto de despojo posesorio (el lanzamiento judicial), no lo fue la demandante, sino su hija, doña Nicolasa.

Sobre ese planteamiento, resulta evidente que doña Alejandra, propietaria junto con su esposo de la vivienda número NÚM001, y que no fue despojada de la posesión de la vivienda número NÚM000, no está legitimada para ejercitar la acción de tutela sumaria de la posesión.

Como recuerda la SAP Pontevedra 15.Jul.2011, "en relación con el objeto de protección interdictal, es doctrina comúnmente admitida la que, partiendo de la distinción entre el *ius possidendi*, entendido como facultad que integra el contenido del derecho de dominio y otros derechos reales, y el *ius possessionis*, entendido como un poder independiente de cualquier clase de titularidad o derecho que pudiera existir sobre la cosa a la que afecta esa situación de poder, limita la protección interdictal a la situación de hecho consistente en la ostentación externa por parte de una persona del ejercicio de un poder o cualidad con apariencia de jurídicos, considerándose poseedor a quien se está de hecho comportando con respecto de una cosa como titular de un derecho sobre la misma, aunque en realidad no lo sea, lo cual significa que para ser considerado poseedor se requiere (Lacruz): a) un elemento material consistente en la relación física con la cosa y b) un elemento espiritual, integrado por la creación de una apariencia, que es el aspecto externo de la posesión. Por eso, el antiguo artículo 1.656 LEc de 1881 limitaba la proposición de prueba en el interdicto a los dos extremos del art. 1652, y entre ellos hallarse el reclamante en la posesión o en la tenencia de la cosa (...).

Por tanto, así como en el precario se reconoce legitimación activa a quien tiene el *ius possidendi*, aunque no tenga al mismo tiempo el *ius possessionis*, como poder de hecho sobre la cosa (...), por el contrario en la acción interdictal de retener o de recobrar únicamente se reconoce legitimación activa a quien se encuentra en el disfrute de la cosa, entendido el disfrute como la acción de gozar de las utilidades de la cosa, pretendiéndose con el interdicto la rápida protección del demandante para la continuación del actor en el goce pacífico de la cosa como situación de hecho en la que el interdictante ha sido perturbado, o de la que ha sido despojado.

En definitiva, habiéndose ejercitado en el presente juicio una acción de tutela sumaria de la posesión frente a un acto de despojo posesorio, y considerando que la demandante no fue sujeto pasivo del acto de supuesto despojo (el lanzamiento judicial practicado con fecha 5 de Mayo de 2011), sino que la persona pretendidamente despojada lo fue su hija, doña Nicolasa, procede necesariamente apreciar que la demandante carece de legitimación activa para ejercitar la referida acción, lo que conduce a desestimar la demanda. Con ello queda vedado el análisis de cualquier otro aspecto de la controversia.